CW00341260

Dello stesso autore
nella collezione Oscar

Il Principe

Niccolò Machiavelli

LA MANDRAGOLA
BELFAGOR
LETTERE

a cura di Mario Bonfantini
nota critica di Gabriella Mezzanotte

OSCAR MONDADORI

© 1954 Riccardo Ricciardi Editore, Milano-Napoli
da *Opere* a cura di Mario Bonfantini
© 1991 Arnoldo Mondadori Editore S.p.A., Milano
per la Nota critica

I edizione Oscar classici gennaio 1991
Edizione su licenza

ISBN 88-04-34260-9

Questo volume è stato stampato
presso Mondadori Printing S.p.A.
Stabilimento NSM - Cles (TN)
Stampato in Italia - Printed in Italy

Ristampe:

13   14   15   16   17   18   19

2003   2004   2005   2006   2007

INTRODUZIONE

Il fatto che le prime notizie sicure sul Machiavelli si riferiscono proprio al tempo in cui egli venne ad entrare negli uffici pubblici, sembra volerci richiamar subito la principale caratteristica della sua vita così strettamente legata alle vicende della sua Firenze e dell'Italia d'allora, nonché dell'opera sua, che così direttamente rampolla dalla sua esperienza di uomo e cittadino. Nato a Firenze il 3 maggio del 1469 di famiglia di parte popolana, antica e ragguardevole ma non molto facoltosa, Niccolò di messer Bernardo Machiavelli, dopo una giovinezza che supponiamo in parte studiosa (seppe benissimo il latino, e coltivò la musica) e in parte dedita ad allegre e spiritose compagnie, entrò a venticinque anni come segretario nella seconda Cancelleria del Comune, e poco dopo, creati i Dieci di Libertà e Balìa — detti anche i «Dieci della guerra» — assunse quella segreteria, che gli eventi fecero diventare tanto importante da poter essere considerata la seconda della Repubblica. Era quell'anno 1494 che segnava con la discesa di Carlo VIII la fine della «politica d'equilibrio» italiana, e l'inizio di quel turbinoso e tremendo periodo nel quale i maggiori stati d'Europa, nel corso della lor formazione unitaria e della più risoluta affermazione di potenza, iniziano le loro lotte pel predominio che avranno per oggetto soprattutto l'Italia. In Firenze il primo risultato era la caduta dei Medici e il libero campo ai tentativi repubblicani del Savonarola: curioso miscuglio di residui medievali e del quasi inconscio disegno d'un nuovo stato repubblicano teocratico, simile a quello che quarantanni dopo instaurerà il Calvino a Ginevra. Ovunque, una gran crisi di tutta la civiltà, nella quale i fermenti dell'Umanesimo portavano a un tempo le esigenze del più audace e spregiudicato razionalismo e d'una moralità nuova, antidogmatica e idealizzante. Novità tutte di cui il giovane Machiavelli avidamente si imbeve, e che troviamo pronto a soppesare e indagare con già maturo giudizio. Pur senza poter arrivare ai massimi onori, e per il suo impiego e per scarsezza di censo, incominciò presto ad avere delicati incarichi politico-militari, e quindi diplomatici: come inviato straordinario presso Caterina Sforza, il Valentino, il Papa, al re di Francia per tre volte, e all'imperatore Massimiliano; e dobbiamo anche tener conto che,

acceso fautore della creazione del gonfalonierato a vita cui fu
eletto Pier Soderini, fu sempre suo amico e consigliere. Nascono
così, per dovere d'ufficio, i suoi primi scritti: rendiconti, «discorsi»
e proposte di vario genere: tutte cose strettamente legate alla necessità contingente, ma di cui egli approfitta per affermare già,
con autentici lampi di genio, certi princìpi generali. E saranno il
Discorso fatto al magistrato dei Dieci sopra le cose di Pisa (della
metà del 1500), il *Ragguaglio delle cose fatte dalla republica fiorentina per quietare le parti di Pistoia*, l'importantissimo *Del modo
di trattare i popoli della Valdichiana ribellati*, e le non meno importanti *Parole da dirle sopra la provisione del danaio*; e finalmente
il gruppo di scritti che riguardano il problema (per lui decisivo
e che sarà motivo continuo in tutte le sue opere storico-politiche)
delle «armi proprie», dalle quali sole Firenze, in quei terribili
tempi, potrà sperare salvezza: *Discorso sopra l'ordinanza e milizia
fiorentina, Provisioni per istituire il magistrato de' nove ufficiali del-
l'ordinanza e milizia fiorentina, Consulto per l'elezione del capitano*...
Il 30 dicembre 1505 la Signoria, dando luogo alle sue insistenze,
gli concedeva le prime «patenti» per arruolare uomini nel vica-
riato del Mugello; e il 6 dicembre 1506 il Consiglio Maggiore
approvava appunto la sua «provvigione» per la creazione della
nuova magistratura. Circa il tempo in cui quella stessa esigenza
delle «armi proprie», e un primo impetuoso tentativo di ordinare
nella fantasia i fatti d'Italia di quegli anni, lo spingevano a stendere
di getto le dure e acuminate terzine del *Decennale primo*. Parallelamente, dall'esperienza diplomatica nascevano le *Legazioni*: relazioni per lettera o rapporti riassuntivi delle sue missioni diplomatiche: la *Legazione a Caterina Sforza*, la prima *Legazione al
re di Francia*, e poi le due altre *in Francia*, la capitale *Legazione
al Valentino*, le due *alla Corte di Roma*, e il *Rapporto di cose della
Magna*; cose dalle quali egli traeva altri scritti, già più meditati
e accurati e maggiormente rivolti a se stesso: da quella prima
*Descrizione del modo tenuto dal duca Valentino nello ammazzare Vi-
tellozzo Vitelli* ecc., ai mirabili *Ritratti*, delle cose di Francia e
d'Alemagna.

Il crollo della Repubblica nel settembre del 1512, da lui così
angosciosamente previsto e invano deprecato, col conseguente ritorno dei Medici, gli faceva perdere l'ufficio e gli procurava anche gravi noie, per esser stato senza colpa coinvolto nella congiura

di Paolo e Agostino Capponi. Fu allora che si ritirò nel suo podere dell'Albergaccio, a Sant'Andrea in Percussina, presso San
Casciano di Val di Pesa, vivendoci piuttosto miseramente e stizzosamente, con la famiglia (aveva sposato nel 1502 Marietta di
Ludovico Corsini la quale, benché quasi illetterata, gli fu moglie
devota e affettuosissima, e gli diede quattro figli, Bernardo, Lodovico, Piero e Guido, e la figlia Bartolommea, che poi andò sposa
a Giovanni de' Ricci). Ma proprio qui, in studioso raccoglimento,
tornato alla lettura di Livio e degli altri storici dell'antichità che
ora egli intende con nuovo acume guidato dall'esperienza, e nel
ripensamento dei grandi e terribili fatti di cui era stato testimone e in parte attore, traendone vicendevoli lumi: acceso dalla
passione e dal dolore, irresistibilmente spinto a ritornare su quegli
eventi e a seguirne il nuovo corso e a farne scandagli e previsioni
(quale lo vediamo nelle lettere all'amico Vettori), riprendendo
tutte le sue idee prima sparsamente affermate o accennate, eccolo
ora concepir senz'altro il disegno di un'opera che, sotto forma
d'un commento a Livio, esponesse ed illustrasse i princìpi di una
vera «scienza nuova» per interpretare la storia e la vita degli
Stati. E saranno i *Discorsi sopra la prima Deca di Tito Livio*;
tosto interrotti, per nuovo intento, dalla rapida stesura del *Principe*: dove quegli stessi princìpi erano subito applicati ai fatti contemporanei e proclamati con acutissima radicale forza polemica,
e il suo dolore per la rovina d'Italia e la non rinunciata speranza
assumevano quei toni drammatici e così intimamente e vigorosamente poetici che tutti gli italiani conoscono.

I *Discorsi*, ripresi, non saranno condotti a termine che nel 1519.
Ma in quel periodo, risvegliatasi in lui anche la vena più propriamente fantastica, il suo gusto pel teatro lo portava a scrivere,
in mezzo a due commedie minori (quasi geniali imparaticci,
l'*Andria* e poi la *Clizia*), un capolavoro, *La Mandragola*; e intanto e insieme, la novella di *Belfagor*, e i *Capitoli* in terza rima,
il poemetto allegorico-autobiografico e moralistico, pure in otto
capitoli di terzine, *Dell'Asino d'oro*, i *Canti carnascialeschi*, e
rime varie. Cose veramente «minori», queste ultime; ma in cui
sempre si trova, più o meno scoperta, la presenza delle sue idee e
la sua passione di cittadino. La *Vita di Castruccio*, che è del
'20, è la cosa di impegno più chiaramente letterario; ma la pressione sempre più dura degli eventi e la meditazione sempre

viva del problema delle milizie in rapporto alla vita civile e alla
libertà, gli dettavano contemporaneamente i sette libri *Dell'Arte
della guerra*, prima e unica sua grande opera da lui pubblicata,
nel 1521 (anteriormente aveva stampato solo il *Decennale primo*,
nel 1506). Fu allora che riuscì nel suo intento di accostarsi ai
Medici, senza però dimettere né nascondere le sue idee repub-
blicane (come è dimostrato dal *Discorso sopra il riformare lo Stato
di Firenze ad istanza di Papa Leone X*, che è del '22), ma per odio
dell'inazione e per incoercibile desiderio di poter essere nuovamente impiegato negli «affari», in pro della patria. Modestissimi,
lo vediamo dalle sue lettere, gli incarichi pratici che ne ebbe, e
ben diversi da quelli di prima, come gli farà notare affettuosa-
mente e scherzosamente il Guicciardini: ché i nuovi signori non
si fidavano, logicamente, di lui. Ma la fama che già circolava dei
suoi scritti, e la protezione del cardinal Giulio de' Medici, gli
facevano ottenere l'incarico di scrivere le *Istorie fiorentine*, che egli
presenterà a Giulio, divenuto papa Clemente VII, nel '25; e saranno, con le altre opere, subito modello agli storici nuovi. Le più
minute notizie di questa seconda parte della sua vita, e specialmente degli ultimi due anni affannosi e straziati, nel rinnovato
dramma d'Italia e della sua Firenze, e della sua morte, si trove-
ranno sulla fine di questo volume, nelle lettere di lui che abbiamo
riportate e appositamente annotate.

*

Il Machiavelli, come si sa, venne dapprima considerato quasi
esclusivamente come un teorico dello Stato e dell'arte di governo. E la cosa risulta abbastanza naturale, quando si pensi che
la maggior novità del suo pensiero, il risultato più evidente e
impressionante della sua ricerca, era appunto l'affermazione di
una distinzione netta e chiara della sfera dell'attività politica,
che deve diventare oggetto di scienza, da quella della moralità:
in una polemica opposizione con tutta la tradizione dei più o meno
utopistici trattatisti precedenti, con quei loro stati idealizzati e
prìncipi perfetti, che non si erano «mai visti né conosciuti essere
in vero», mentre ben diversa era ed è sempre stata la «verità
effettuale» delle cose. E su questa novità il Machiavelli insisteva
con tal terribile audacia, obbligava in tanti luoghi il lettore a
curvarsi sui meno confessati abissi dell'umana coscienza con un

piglio di così trionfante e quasi crudele compiacenza, che il
problema morale venne si può dire di per sé in primo piano, nelle
vaste e accanite polemiche, cui invitava anche il carattere parti-
colarmente scottante della materia investita e la portata delle sue
affermazioni, che sembraron tali da mettere in questione, come si
direbbe oggi, gli stessi «valori» della nostra civiltà.

Donde gli sdegni e i furori dei Gesuiti e, nel campo opposto,
gli anatemi e le condanne degli scrittori protestanti. Giacché
questi trovavano troppo naturale unire al sincero scandalo pro-
vocato nella loro austerità programmatica dalla «immoralità» del
Machiavelli, la volontà d'assumere la sua figura a documento
palpitante dell'atroce spregiudicatezza e ipocrisia di quel mondo cattolico, di tutti quei «papisti» e dei loro principati assoluti
più o meno clericali (il cui modello prepotente era divenuta la
monarchia spagnola di Filippo II) contro i quali essi si trovavano
in lotta; e ciò arrivò a tal punto che ancor oggi nella lingua inglese
si adopera — se pure scherzosamente e senza ricordarne l'etimologia — a indicare il diavolo, la locuzione *the old Nick*, «il vecchio
Niccolò»! Mentre, nell'altra metà d'Europa, i dottrinari di parte
cattolica, pur meglio intendendone il pensiero per quel che esso
ripeteva da una esperienza e da una cultura comuni, confortati
dalla condanna ufficiale della Chiesa e dalla polemica anticlericale
dello scrittore, insospettiti da quel vago sentore di protestante-
simo che si levava da parecchie sue pagine, e soprattutto aizzati
dalla cruda sincerità onde venivan dispiegate in pubblico tante
cose che, da parte dei potenti della terra, «si fanno ma non si dicono», si affrettavano tutti a confutarlo: nell'atto stesso in cui da
lui attingevano per costruire la famosa dottrina della «ragion di
Stato».

Pure, alla base di tutti questi più o meno gravi svisamenti, è
facile riconoscere, oltre alla passione di parte, una limitazione, una
tipica unilateralità di visione: fissi soltanto sul *Principe*, spesso
anche per ignoranza di tutto il resto, i polemisti della Riforma.
Troppo legati anch'essi di preferenza al *Principe*, ma soprattutto
all'aspetto più apertamente normativo dell'opera tutta, come di
un *precettista* e consigliere politico, i dottrinari della Controrifor-
ma: non negando (specie questi ultimi) la genialità, ma senza
sapere o voler vedere in genere, né gli uni né gli altri, l'enorme
portata di quelle idee, la novità profonda della visione storica, e

tanto meno le palpitanti ragioni umane e il lievito morale.

E anche nel settecento illuminista, se pure la visione si allarga (tanto che possiamo considerar Machiavelli come la vera guida d'un Montesquieu nelle sue celebri considerazioni sulla *Grandezza e decadenza dei Romani*) il Segretario fiorentino restava essenzialmente il teorico di quella spregiudicatezza morale contro cui si combatteva, e il suo fondamentale pessimismo sulla natura umana troppo contrastava con l'ottimismo allora predominante.

Ciò non toglie però che la dottrina stessa dell'utilitarismo sociale e politico, oltreché economico, dovesse risultargli nel complesso favorevole non meno del nascente storicismo, preparando il terreno ad una sua maggiore comprensione: mentre il Rousseau in Francia insisteva sulla passione di libertà che aveva sempre profondamente animato la vita e l'opera di lui, e il Giannone in Italia soprattutto da lui si ispirava per sviluppare il suo giurisdizionalismo.

Ma la vera «discoperta» del Machiavelli si doveva avere, come tutti sanno, solo con gli albori del romanticismo storicistico, onde il primo illuminante contributo del Fichte; e specialmente col romanticismo risorgimentale italiano.

Allora al Machiavelli immorale consigliere di «tirannide» del *Principe*, venne trionfalmente opposto il fervido repubblicano, l'esaltatore profondo dell'antica libertà, dei *Discorsi*; e nel *Principe* stesso si esaltò soprattutto la grandezza della passione patriottica, fino a fare di lui un autentico profeta dell'unità d'Italia; e progressivamente, alla sommaria immagine del precettista ingegnoso ed acuto ma un poco astratto, o quanto meno che si fonda su certi giudizi sulla natura umana sempre discutibili, si venne sostituendo l'idea dello studioso che dall'esame «scientifico» dei fatti, per via sperimentale, veniva a stabilire le «leggi» dell'evoluzione storica: il Machiavelli «filosofo della storia». E ciò con un fervore ed un'ansia di rapide sintesi e di sistemazioni organiche, che se recavano in luce grandi verità comportavano d'altra parte non pochi pericoli.

È noto come l'Alfieri, anche in questo ispirandosi al Rousseau (il quale riprendeva, forse attraverso lo Spinoza, certi spunti del tardo cinquecento italiano: specie Boccalini nei suoi *Ragguagli*), per eliminare la grossa incongruenza fra il Machiavelli precettore del principato più assoluto e tirannico e l'entusiasta assertore della romana libertà, ricorresse al curioso espediente di pensare il *Principe* scritto quasi tutto con intento satirico, sotto il pretesto di addottrinare e lodare il «tiranno»: pressapoco come aveva fatto di recente il Parini col *Giorno* nei riguardi del suo *giovin signore*: «Se nel *Principe* si trovano a mala pena sparse alcune poche massime tiranniche, esse sono esposte solo per svelare ai popoli la crudeltà dei re, non certo per insegnare a questi ciò che essi han sempre fatto e sempre faranno. Le *Storie* e i *Discorsi*, invece, spirano in ogni pagina grandezza d'animo, giustizia e libertà, né si possono leggere senza sentirsi ardere da questi sentimenti. Pure il Machiavelli fu creduto un precettore di tirannide, di vizi e di viltà; e così avvenne che la moderna Italia, in ogni servire maestra, non riconobbe il solo vero filosofo politico che ella abbia avuto finora».

Opinione avallata, come tutti gli scolari sanno, dal Foscolo nei *Sepolcri* (« ... quel Grande — che, temprando lo scettro a' regnatori, — gli allor ne sfronda, ed alle genti svela — di che lagrime grondi e di che sangue»). Il quale, però, ben più acutamente in altra sede parlerà delle «contraddizioni» del Machiavelli, risolvibili soltanto con un attento studio di tutta la sua vita che valesse ad illuminarne le intenzioni: «... Senonché il Machiavelli intendeva d'associare l'indipendenza della nazione al governo repubblicano; quindi servendo a' Medici, e congiurando contro di loro; quindi cercando un usurpatore felice, ed un popolo che sapesse poi rovesciarlo, lasciò a noi ne' suoi libri tante sentenze contrarie di tirannide e di libertà, di virtù e di delitti: né si potrà sapere il suo intento, se non con lo studio della sua vita». E lo stesso disagio, lo stesso senso di difficoltà, troviamo dal più al meno negli altri maggiori spiriti del nostro Risorgimento, specie com'è naturale in quelli di parte neoguelfa, Balbo o Manzoni.[1]

Finché il De Sanctis primo giunse ad una sintesi veramente comprensiva (anche se forse non abbastanza sfumata), ad una visione storicamente adeguata: in quel capitolo xv della *Storia della letteratura italiana* che è una delle vette dell'opera sua, e si deve consigliare ancor oggi al meno informato lettore come la prima

1. V. Alfieri, *Del Principe e delle Lettere*, Parte II, cap. 9; U. Foscolo, *Della patria, della vita, degli scritti e della fama di Niccolò Machiavelli. Commentarii politico-critici* (in *Prose letterarie* dell'ed. Le Monnier, vol. II). Più complesso il pensiero del Manzoni, che mise in bocca come tutti ri-

preparazione indispensabile ad affrontare la lettura del Nostro.'

E già si sviluppava intanto quell'idea che possiamo chiamare scientifica, d'un Machiavelli che in base alle sue osservazioni e leggi *prevedeva*, e poteva insegnare a prevedere gli eventi storici. Idea sostenuta a lungo fra noi dal sentimento patriottico, che volle vedere nell'ultimo capitolo del *Principe* una profezia solo con ritardo avveratasi, sebbene vivacemente lo stesso De Sanctis già avvertisse che «è anche una meschinità porre la grandezza di quell'uomo nella sua utopia italica, oggi cosa reale». Ma all'infuori di questo, tal concezione era troppo d'accordo con le tendenze dei tempi nuovi. E anche quando si abbandonò la pretesa di considerare gli schemi machiavelliani quasi come un complesso di teoremi e di deduzioni geometriche, qualche cosa di tal rigidezza rimase nei pur meritori e talvolta geniali studi che seguirono.

Fu un grande lavoro, paziente e finissimo, per ricostruire storicamente, con la vita, il pensiero del Machiavelli in ogni particolare, e collegarlo sicuramente alla sua attività pubblica, ai fatti dei suoi

cordano al suo Don Ferrante quella sentenza sul Machiavelli: «mariolo, sì, ma profondo». Nella *Morale cattolica* il M. è esaminato «tra gli scrittori che presero l'utilità per norma suprema dei loro giudizi nelle cose politiche»; e quindi condannato, ma non sommariamente: scorgendo il Manzoni in lui, oltre al genio, una manifesta inclinazione al bene, e concludendo, a dirla in breve, che il M., se pure non di rado «mariolo», non lo fu mai quando fu veramente profondo, non potendo l'errore morale scortarci a verità. Il Balbo nel suo *Sommario* della *Storia d'Italia* venne alla severa condanna che, malgrado il suo «grande scopo» sia difficile trovare «un libro così fatale ad una nazione, come il *Principe* all'Italia»; ma attribuì in sostanza il «male» del M. soprattutto alla sua ambizione dopo la caduta della repubblica, di «rientrar in uffizio», e alla perversità dei tempi. Idea quest'ultima che piacque al Capponi, il quale nella sua *Storia della Repubblica di Firenze*, finì per attribuire tutto il men buono del M. ai tempi suoi: con duro dissenso, ma non senza particolari finezze. 1. Forse ancor più noto è, del De Sanctis, il saggio *L'uomo del Guicciardini*, col parallelo fra i due grandi fiorentini. A far meno sommari questi rapidi accenni alla fortuna del M. nel nostro '800 risorgimentale e postrisorgimentale, ricordiamo le pagine di Giuseppe Ferrari nel suo *Corso sugli scrittori politici italiani e stranieri* (Milano, 1862, lezioni IX, X e XI), e quelle, più disinvolte ma più acute, del suo precedente scritto: *Machiavel juge des révolutions de notre temps* (Parigi, 1849, pubblicato in italiano, Firenze, 1921). Nel Ferrari già si incomincia a scorgere quella tendenza «scientifica» cui più avanti accenniamo; ma vi si rivela altresì, più interessante per noi, l'inizio d'una critica veramente feconda alla concezione del *Principe*, partendo non più dalla discussione astratta ma dall'esame storico dei tempi. Che fu la via sulla quale si mise l'Oriani, giungendo ad assurde negazioni, nelle eloquenti e arbitrarie pagine un tempo anche troppo fortunate di *Fino a Dogali* (Milano, 1889) e de *La lotta politica in Italia* (Torino, 1892).

tempi (ricordiamo specialmente i nomi dei nostri Villari e Tommasini, e dei più recenti Meinecke e Renaudet). Mentre, parallelamente, più insistente si faceva lo sforzo di isolare nel Nostro il nucleo filosofico o dottrinario, e di cercare una sistemazione coerente nella quale far rientrare e ordinare tutte le sue affermazioni o addirittura l'intera sua vita spirituale. Tutto un lavoro sul quale non possiamo qui soffermarci, bastandoci indicare fra i più validi e più recenti, in Italia, gli studi dell'Ercole, per quanto è «scienza dello Stato», e quelli del Russo, più strettamente rivolti a individuare del Machiavelli il pensiero. Senonché il Croce, facendo sommaria giustizia della «filosofia della storia», era anche venuto a porre in giustificato sospetto molte di queste costruzioni, per quanto sapienti. E già abbiamo accennato come secondo noi un tal lavoro, esercitato sul Machiavelli, corra sempre il pericolo di sfociare in costruzioni logicamente coerenti, ma invalidabili per parzialità, o a sistemazioni più fini e largamente comprensive, ma anch'esse infirmate da qualche antinomia che nessun espediente dialettico potrà mai annullare. Ed è una via in fondo alla quale spesso si incontrano i dottrinari: tanto che ancor di recente, abbiam potuto vedere appellarsi al Machiavelli (non senza fondatezza) i teorici e i fanatici dello Stato hegeliano, autoritario e totalitario; e dall'altra parte, puntando, si capisce, sui *Discorsi* e con argomenti certo più validi, richiamarsi fervidamente a lui i più generosi fautori della democrazia liberale.

*

Queste opposizioni si sogliono appunto riassumere, come già avvenne all'Alfieri e al Foscolo, in una evidente incertezza, e nell'esigenza di trovare una concordanza sostanziale, un'intima coerenza, tra lo spirito del *Principe* e quello dei *Discorsi*. E certo un passo decisivo fu fatto da quando si affermò la necessità di veder 'nelle due opere quasi due momenti successivi, anche se biograficamente in parte coevi, del pensiero del Nostro. Onde la opportunità di riprendere e integrare la nota immagine del De Sanctis: che il Machiavelli «con l'una mano distrugge, con l'altra edifica». Nel senso che avremmo nel *Principe* il momento per così dire *negatore* della ricerca del Machiavelli, cioè quello della polemica splendidamente vittoriosa (e che perciò gode anche di scandalizzare) contro il moralismo teologale delle dottrine politiche medievali, la cui sopravvivenza gli sembrava ed era in effetto soltanto cieco ossequio alla tradizione, o vile ipocrisia di chi non ha il coraggio di guardare in faccia alla realtà; e quindi la implacabile (ed eccessiva) critica alla politica dei principi italiani; e insieme la pessimistica visione della natura degli uomini e del loro modo di comportarsi nella vita sociale (di quei tristi tempi, o di sempre?), che si riassume in quella sanguinosa sentenza del famoso capitolo XVIII: che «nel mondo non è se non vulgo». Mentre nei *Discorsi* vedremo il momento *positivo*: nel quale, di là dalle contingenze storiche che lo avevano spinto a prefigurare così efficacemente il sistema dei nascenti stati assolutisti, e considerando le possibilità dell'umana natura in modo più generale, il Machiavelli, sulla scorta dell'esempio umanisticamente venerato dell'antica repubblica romana nei suoi tempi migliori, vagheggia un vivere sociale incommensurabilmente più nobile e degno di quello presente. Non propriamente quale «dovrebbe essere» dal punto di vista assolutamente morale, sì da non ricadere nell'astrattismo medievale, ma quale *potrebbe* essere ancora. E ne illustra lucidamente le difficili ma non impossibili condizioni, sostenuto da quel fiducioso pensiero che egli afferma nel Proemio (e che fu in sostanza l'animatore di tutto il Rinascimento), che ciò di cui gli uomini sono stati una volta capaci potrà essere raggiunto di nuovo: purché si ritrovino certe fortunate «occasioni», e si volgano nella giusta direzione tutti gli sforzi, sapendo usar bene dell'insegnamento del passato quale ci può offrire la storia.

Così sono state spiegate assai bene molte apparenti contraddizioni; e si è trovato il naturale legame tra certe posizioni del suo pensiero che sembravano più contrastanti. Prima fra tutte la continua affermazione degli ideali repubblicani, e il chiaro riconoscimento, in quella temperie d'Europa e specialmente in quella situazione d'Italia, della necessità storica del principato; e quindi l'accettazione della subdola e crudele politica indispensabile a fondare e mantenere e ampliare un tal principato: quella specie di dolorosa e affascinata ammirazione onde vengono indagati nelle loro vere ragioni e dimostrati nella loro innegabile efficacia e preposti a modello i più spregiudicati modi di procedere, di «governarsi», di grandi principi come Ferdinando il Cattolico.

Ma questo non è ancor tutto. Perché è naturale sorgessero i quesiti: è poi così realisticamente coerente, anche tenendo conto dei tempi e delle premesse pessimistiche, il *Principe*? e sono poi così idealmente *ipotetici*, nella lor logica interiore, i *Discorsi*? Le quali domande non fanno che riportarci alla questione della particolare natura del pensiero machiavelliano.

Già per il *Principe* fu facile osservare la «incoerenza» dell'ultimo capitolo: quel pretendere che una situazione così disperata e disperatamente rappresentata fino a poche pagine prima come quella d'Italia, potesse d'un tratto capovolgersi, unicamente per la «virtù» di uno solo, che volesse applicare i princìpi dal Machiavelli stesso scoperti... Ma le pagine più persuasive sulla vera natura di questo trattato, nonché sul carattere affatto peculiare del modo di «ragionare» del Machiavelli, ci sembrano esser state quelle dello Chabod, nella introduzione alla sua edizione del *Principe* del 1924. Qui il critico, rifacendosi (e si direbbe aver seguito il vecchio consiglio del Foscolo!) alle esperienze prime del Machiavelli, e alle frementi sentenze del *Decennale primo* che concludevano alla necessità d'una «milizia propria», così ci mostra il procedere di lui: «La sua creazione, Niccolò la vuol attuare nella realtà: prima è l'accenno, nella composizione letteraria, dipoi la affermazione, nella pratica di governo; e si hanno così le *ordinanze*, di fanteria e di cavalleria. In tale momento, hai bene il Machiavelli: che raccoglie tutti gli elementi sparsi della sua esperienza, e li trasfonde in una esistenza diversa e più ampia, cui essi, intravisti nel loro singolo, determinato valore, non parrebbero autorizzare. Qui egli si rammenta delle compagnie di arcieri francesi, delle fanterie svizzere, tedesche, della milizia romana — ricordo classico e vita moderna si fermano egualmente nella sua capacità di esperienza; e poi, con un brusco trapassare al suo paese, concepisce una nuova possibilità per questo, e trasforma il motivo puramente intellettuale in momento volontario e passionale. L'immaginazione compie la logica, l'atto di fede integra la visione teorica.» Che è poi lo schema ideale della seconda parte del *Principe*.

E non è una novità, d'altronde, ricordare che, come il Machiavelli nei *Discorsi* non intendeva abbandonarsi per nulla all'utopia né essere, a modo suo, meno scientifico e aderente alla realtà (all'intima realtà della storia della civiltà umana), così anche

il *Principe* non fu tutto costruito su questo solo intento di stringere da presso la desolata e disperata realtà contemporanea : nean-
che il *Principe* cioè è tutto *realistico* nel senso stretto della parola.
Bisogna rifarsi al momento in cui fu composta questa operetta,
a noi così ben noto. Un momento in cui il Machiavelli, già tutto
sprofondato nella ricerca storica e nell'analisi della *prima Deca*
di Tito Livio, è colto dal desiderio di metter giù subito qualcosa che valesse a testimoniare presso i Medici del suo effettivo valore, e dall'urgenza incoercibile di manifestare senz'altro,
applicandole ai tempi presenti (sui quali non si stancava di alma-
naccare come si vede dalle sue lettere all'amico Vettori), le sue
scoperte, quei nuovi princìpi balenatigli durante il suo studio di
Livio: il tutto lievitato ancora dal dolore della rovina della patria
che ha travolto anche lui personalmente, e da una esaltata speranza che vuole affermarsi a dispetto di tutto. Cosicché quello
strano «memoriale» si riempie quasi di per sé d'una materia ricchissima e incandescente, impostagli da esigenze scientifiche e da
altri non meno violenti diversi affetti. Donde la necessità, per or-
dinarla, di imporre al libro, in partenza, quello schema sommario
e rigoroso del capitolo I, che resterà però piuttosto esterno. Così
la polemica negatrice del moralismo medievale, che era il nucleo
teorico più saldo, si nutre di tutta la sua disperazione patriottica
per gli errori commessi da chi non aveva inteso questi princìpi
nuovi; a comprovare i quali egli con genialissima novità esamina
analizza e mette a frutto i fatti storici contemporanei, e richiama
gli antichi che fanno al suo caso.

Nel calore della creazione, alimentato da questi vari motivi,
nascevano in lui, scrittore di potentissima fantasia, quei terribili
tratti satirici sui nostri principati e la vita delle Corti e la religione e il costume del popolo italiano, che troveremo anche
nei *Discorsi*, e che hanno, sul piano della creazione poetica, il più
perfetto riscontro nella figura di fra' Timoteo della *Mandragola*;
così come l'animo che lo spingeva a certe generose ma eccessive accuse di inettitudine nei riguardi dei principi o dei condottieri italiani s'intende appieno solo tenendo presenti, testimoni della sua
passione, le sue lettere, e i *Decennali*, e le fantasticherie allegoriche
e autobiografiche dell'*Asino d'oro*. E in quel dilatare oltre i limiti
della verità criticamente accettabile (e quale egli stesso ben conosceva ed annotava, in altra sede), sino ai confini del mito, la

figura di un Cesare Borgia, c'è lo stesso abbandono alla fantasia creatrice che gli farà sbozzare nei *Discorsi*, con pochi fortissimi tratti di esaltazione o di accusa, le tenebrose shakespeariane figure del suo Bruto «maggiore» o del suo Cesare.

Così, vagheggiando la possibilità d'un principe siffatto, e quindi d'un principato veramente nuovo in Italia, Machiavelli (torniamo allo Chabod), «suggerisce i rimedi ad ogni accidente, corregge le storture dei governi passati, credendo, con simili dettagli, di raddrizzare un edificio a cui son venute mancando le fondamenta. Anzi l'errore vero egli l'ha trovato, la causa di ogni sventura è chiara: le armi mercenarie, nequizia dei principi». Onde il libro «si accentua, non soltanto nella materiale disposizione, ma sì bene nello spirito che lo pervade, in questi capitoli sulla milizia: qui è la piaga che deve sanarsi . . .»

Questo appunto, non dimentichiamolo, fu uno dei tratti di genio del Machiavelli; ed è stato giustissimo riconoscere come, «concependo la possibilità della milizia nazionale — le armi affidate ai cittadini, lo Stato difeso da coloro che lo formano — il Machiavelli esce dalla storia angusta de' tempi, dai risultamenti immediati della civiltà italiana, e segna un'orma nuova». Ma proprio in questo punto, secondo lo Chabod, si coglie la debolezza della costruzione del *Principe*: giacché, «egli poi non s'avvede come a tal rivoluzione nell'arte militare debba corrispondere ugual rinnovamento politico-sociale: la milizia cittadina non può essere se non là ove lo stato viva, giorno per giorno, nell'intima coscienza del popolo; e quindi deve crollare il Principato, quale egli lo vede. Il solo enunciare la base militare nuova dovrebbe significare la rinunzia alla creazione del Principe. Egli non se n'accorge, e si ferma a metà: s'ispira all'esempio di Francia, di Svizzera, di Roma repubblicana, senza avvedersi che i suoi modelli nascondono un intimo valore, quello per l'appunto di cui la civiltà italiana non è più capace».

Gioverà avvertire che il Machiavelli, se nel *Principe* vi fa solo un brevissimo accenno («e dove sono buone arme conviene sieno buone legge») in verità si avvide benissimo dell'intimo valore dei «modelli» da lui citati; e lo mostrò in tutta evidenza ma in altra sede, nei *Discorsi*. Scrivendo il *Principe* diremmo piuttosto che non volesse ricordarsene: donde la contraddizione, non solo rispetto ai *Discorsi* e a tutto il suo pensiero ma nell'interno stesso di

questa operetta. La quale infirma appunto, con una lacuna che di-
viene incoerenza, la costruzione stessa ideale del suo principato;
di questo Principe che non può chiamar partecipe dell'opera sua
un «vulgo» disprezzabile e disprezzato, e che pur dovrebbe riuscire a suscitare in esso un alto sentimento patriottico e civile, nel-
l'atto stesso in cui sistematicamente non gli dà altri esempi se non
di tradimenti e di delitti: sia pure ad un «fine buono», e cioè in
modo che si risolvano in «beneficio dell'universale», ma con dei
mezzi che (troppo spesso lo si dimentica) negano già in sé a priori
il fine da raggiungere, e alla lunga gli fanno ostacolo insuperabile
anche nel mondo.[1]

Il che non toglie, si capisce, la mirabile somma di verità nuove
che nel trattato si trovano: la sua erompente genialità nel porre
d'un balzo, con autorità inconfutabile, le fondamenta vere d'una
«nuova scienza»; e quel «prospetto rapido, ma formidabile, della
storia italiana nei suoi ultimi risultati, quali il rinascimento li
contempla». E, nella stessa poetica licenza della chiusa, il persi-
stente fascino di quella solennissima affermazione, a dispetto
di tutto, di un sempre possibile riscatto, a uomini che sappiano e
vogliano essere veramente tali. Nonché (e questo è stato detto e
mostrato tante volte che è inutile insistervi qui) quell'atto di prepotente immaginazione, di autentica creazione, che gli permise di
raffigurare nel suo principato, se pure con la già detta lacuna, la
vita e il carattere del nuovo Stato.[2]

---

1. Così accadde appunto (né il M. poteva ignorarlo) al duca Valentino
e a suo padre Alessandro VI, i cui procedimenti, abilmente accusati e
ingranditi dall'avversa propaganda veneziana, destarono tanto sospetto e
terrore all'intorno da porre un insuperabile freno alle loro ambizioni (v.
al riguardo il recente libro di G. Pepe su *La politica dei Borgia*). E quando
M. nel *Principe* dice che «era nel duca tanta ferocità e tanta virtù» che,
mortogli d'improvviso il padre, avrebbe «retto a ogni difficultà» solo che in
quel momento «lui fussi stato sano», lo fa per amor della sua tesi e della
figura ideale che va disegnando; ma ben diverso parere sulle residue possibilità del Valentino aveva dato lui stesso in quel momento, scrivendo
alla Signoria di Firenze.

2. «E ti vien fuori la lotta politica, affermata con naturale sicurezza:
lo Stato agisce conquista e distrugge, senza dover render conto ad alcuno;
esso è già il supremo valore. Gli manca ancora, per adesso, la pienezza di
vita intima – quel suo continuo vivere nell'animo del popolo chiamato a
crearlo ora per ora; è pertanto formale, come la lotta politica è soltanto
esterna: ma intanto non ricerca più al di fuori di sé le ragioni della sua

Da tutto questo però ci sembra giusta una deduzione: se, come è persin ovvio, non si può intendere nel vero valore nessuna affermazione del Machiavelli qui e in altre opere senza tener presente tutto il suo pensiero, e se il *Principe* nacque da una profonda unità spirituale, d'altra parte, per coglierne la grandezza e gustarne l'intima ricchezza, bisogna proprio *frantumare* la sua organicità programmatica: integrando di volta in volta gli elementi con quanto il Machiavelli stesso ci fornisce in altra sede. Così, ad esempio, a intendere il significato vero, non moralmente né storicamente repugnante, della deformazione diciamo in senso realistico della figura del Valentino (quando la fa tanto più grande e importante di quel che fosse, arricchendola anche di note caratteristiche proprie di altri principi d'allora), bisogna tener presente lo scopo della deformazione in senso idealistico, già da noi accennata, della figura di Castruccio Castracani.

*

I *Discorsi* si presentano, al paragone di questa e anche di tutte le altre opere, tanto più intimamente coerenti quanto meno esteriormente sistematici. Quella tendenza che è tipica del Machiavelli, a spingere immediatamente con travolgente efficacia espressiva ogni singolo motivo del suo discorso alle conseguenze estreme, mettendolo a frutto e insistendovi su di volta in volta con tale energia da farlo parer destinato ad annullare tutti gli altri, sembra placarsi nei *Discorsi* in una visione più equilibrata e serena: dove più facilmente si scorgono le conciliazioni e le naturali integrazioni delle diverse posizioni dal Machiavelli assunte. Anzi, non esitiamo a vedere in essi una maturazione ulteriore del suo pensiero, e una evoluzione decisiva di varie tesi del *Principe*: d'accordo col Flora che, tra gli altri, ci sembra averlo messo in rilievo di recente con particolare efficacia.[1]

esistenza. Non le ricerca nemmeno nel suo intimo: si trova effigiato nel suo momento di equilibrio, mai più raggiunto, che non ricerca nulla e non ha bisogno di giustificazioni o di chiarimenti.» Federico Chabod, op. cit., p. XXX.

1. Nella vasta introduzione al 1º volume dell'edizione mondadoriana di *Tutte le Opere di N. M.* (1949), e prima ancora nel bel capitolo al M. dedicato (utilissimo anche al comune lettore) della sua *Storia della letteratura italiana*. Ivi si richiamano i noti passi del capitolo x del Libro

Ma ciò non vuol dire che manchino anche in essi le difficoltà, sempre notevoli per chi pretenda costringerne la ricchezza in uno schema logico unitario. Basti ricordare il tipico modo con cui gli «esempi» antichi vengono ora adoperati in funzione di apologhi o miti, per estrarne una loro riposta sapienza, e ora messi sullo stesso piano dei fatti storici moderni più appurati: acutamente criticati e analizzati, materia sperimentale da cui cavar regole. E quelle stesse «regole», frutto dell'esperienza, sono presentate in più luoghi come infallibili, quasi princìpi di una scienza non solo «nuova», com'era ben giusto, ma addirittura *esatta*, giustificando così le ben note riserve del Guicciardini; mentre in qualche altro passo (trascurato di solito dagli studiosi, e per verità più modesto), lo stesso Machiavelli chiaramente riconosce la «discrezione» con la quale si devono adoperare e regole ed esempi, ammettendo in sostanza che essi non hanno un valore precettistico assoluto, ma quello di semplici norme, di «canoni» (come diremmo noi oggi) per l'interpretazione della realtà.[2] E così la religione: ora considerata quasi soltanto come un massiccio fenomeno di credulità, nelle sue conseguenze e forme esteriori e nelle possibilità di sfruttarla quale *instrumentum regni*; altrove invece, e più spesso (anche se i critici abbacinati da altre idee hanno faticato tanto a riconoscerlo), riconosciuta e additata come un fatto individuale profondo, rigeneratore della coscienza e indispensabile e nobilis-

---

primo dei *Discorsi*: «Né sia alcuno che s'inganni per la gloria di Cesare, sentendolo massime celebrare dagli scrittori; perché quegli che lo laudano sono corrotti dalla fortuna sua, e spauriti dalla lunghezza dello imperio, il quale, reggendosi sotto quel nome, non permetteva che gli scrittori parlassono liberamente di lui. Ma chi vuole conoscere quello che gli scrittori liberi ne direbbono, vegga quello che dicono di Catilina»... E più oltre, dove si afferma che chi consideri i fatti: «conoscera allora benissimo quanti obblighi Roma, l'Italia e il mondo abbia con Cesare! E sanza dubbio, se e' sarà nato d'uomo, si sbigottirà da ogni imitazione de' tempi cattivi, e accenderassi d'uno immenso desiderio di seguire i buoni»... E così si commenta: «Non che egli abbia, l'autore del *Principe*, avversione per una magistratura che in certi tempi ponga la salute della repubblica nelle mani di un solo: è avverso alla magistratura arbitraria. L'autore del *Principe* teoricamente riconosce la legittimità di colui che s'impadronisce dello stato con la forza, ma nel suo sentimento lo riprova, e nei *Discorsi*, correggendo anche la prima teoria, lo rinnega». 2. Si veda ad esempio il passo dei *Discorsi* (1, 18), dove si ammette essere «quasi impossibile» dare regole in certi casi. E nell'*Arte della guerra*, dove finemente si segnano i limiti della possibilità dell'imitazione degli esempi antichi, e quindi del valore delle regole (qui chiamate «generalità») che da essi si traggono.

simo *fondamentum reipublicae*, in uno sforzo tenace di afferrarne da ogni punto di vista e valutarne in tutti i riflessi della vita sociale la misteriosa complessità... Un libro anche questo, insomma, che è ben lungi dall'esser tutto logicamente condotto; come venne pur osservato dallo Chabod, quando avvertiva che: «nelle annotazioni a Livio il rigore dell'analisi e il fermarsi del pensiero su di un mondo lontano, sul passato, possono celare quel che in fondo è di non analitico, di non logico — quella vivacità di adesione al mondo romano, che viene non soltanto intravisto, ma glorificato e posto come ideale nella luce della sua formidabile capacità politica»; onde noi possiamo creder di vedere «semplice sagacia di storico, quel che è bene intimità di creazione intellettiva e passionale ad un tempo».

Di qui l'origine di quelle imperiose e seducenti affermazioni, magari sconcertanti non solo da un'opera all'altra, ma nell'interno dell'opera stessa, che siamo andati brevemente indicando.[1] Le quali non sono vere e proprie incoerenze del pensiero, e lungi dal rivelarne una debolezza ne mostrano anzi tutta la profonda vitalità e la ricchezza. Perché l'una chiarisce la portata dell'altra, e dall'altra viene illuminata: sì da cogliere e interpretare di continuo i multiformi caratteri della realtà quali il Machiavelli nella sua intima ricerca va man mano scoprendo. E la ragione di tutte si fa evidente se ci riportiamo ogni volta a quel particolare stato dell'animo da cui son scaturite. Ché se il Machiavelli stesso qualche volta sembra esclusivo, ed assumere uno solo dei princìpi che egli ha individuati come canone interpretativo dei fatti, e tra-

---

1. Ad esempio, nei *Discorsi*, uno dei più famosi precetti del *Principe* viene notevolmente ridotto nella sua portata, dichiarandosi quasi impossibile trovare chi sappia usare volta a volta «la bestia e l'uomo»; e più oltre si accenna al «male» che acceca chi lo pratica; e ancora si distingue tra la «fraude gloriosa» e quella «che non ti acquisterà mai gloria». Il ben noto pessimismo a proposito del poco discernimento del «vulgo» è notevolmente corretto, e quasi smentito, sempre nei *Discorsi*, I. 1, 4, dove ancora si loda la «moltitudine» (ibid., 58); o si dà una risposta implicitamente assai differente da quella del *Principe* alla famosa questione «s'elli è meglio esser amato che temuto» (III, 20). E interessantissimi poi sono i brani (*Discorsi*, III, cap. 30 e 31) dove, secondo la tradizione, si concede anzi si loda negli «istorici buoni» la tendenza a porre in particolare rilievo certi «casi» che possano servire d'insegnamento, e a mettere in bocca ai personaggi storici, per lo stesso fine, idee proprie di chi scrive. Princìpi che, se fossero veramente applicati, toglierebbero alla storia ogni valore documentario.

scurare allora certi altri che in altra sede gli furon preziosi, ciò è
solo perché questo principio egli vuole approfondirlo, vedere tutto
quello che esso può rendere; e talvolta veramente, spinto dall'ardore polemico, nell'entusiasmo della scoperta, o magari anche
trascinato da impeto verbale di scrittore, tutto intero vi si ab-
bandona.

Così la fecondissima novità del principio della lotta delle classi,
tanto utile al vigoreggiare d'una nazione, gli fa sminuire talvolta nei
Discorsi o trascurare il peso delle istituzioni e delle leggi nella loro
resistenza conservatrice, e la possibilità che esse offrono al gioco
delle cupidigie e passioni individuali o di consorterie. Come egli
farà invece mirabilmente nelle *Istorie*: tanto infervorandosi allora
nella minuzia delle questioni istituzionali, e nella vivacità dei suoi
ritratti, da diventar dimentico del principio suddetto (come ad
esempio nel disegnar lo sviluppo e le conclusioni della rivolta dei
Ciompi). E così potremmo dire che in lui, fiorentino, e certamente
esperto del gioco delle forze economiche nella vita pubblica e
privata, il peso di tali forze non viene ad assumere il debito rilievo
proprio quando egli parla della sua città: quasi come di cosa
troppo risaputa, e trasferita ormai in altre forme del suo pensare
politico. E questo appunto sembra potersi applicare un poco a
tutta la sua visione del mondo politico; se numerose sparse osservazioni, anche dell'influenza del sito e del clima sulle attività
prime degli abitanti e quindi sulle loro inclinazioni e istituzioni,
e tutto il *Ritratto delle cose di Francia*, non ci avvertissero che
questa non è una vera lacuna, o se si può chiamare così, non è
tale da infirmare il valore di questa visione. Cosicché non si può
dire che il Machiavelli, in certi suoi contrasti come in certe unilateralità o trascuratezze, sia propriamente in errore. L'errore è
stato e sarebbe nostro: quando pretendessimo sostenere o che il
Machiavelli ha *visto tutto*, o che si trova in lui un sistema bell'e
fatto, che basta applicare per saper tutto. Mentre la sua utilità e
universalità sta proprio nel continuo acume di questa sempre
rinnovata ricerca, che si vale di tutti i mezzi che l'uomo può avere
a sua disposizione: in questo ardore di sempre nuove verità, da
qualunque parte gli nascan dentro, ad arricchire instancabilmente
la propria forza indagatrice e creatrice, ad approfondire ed ampliare sempre più le sue vedute.

Il che significa in definitiva che il Machiavelli pensatore, e quindi anche filosofo, ha tuttavia, nei modi della ricerca e del trarne i frutti e di condurre in genere tutta la sua attività spirituale, assai poco di comune con quello che la parola «filosofo» è venuta a rappresentare per noi in base ad una tradizione che è poi abbastanza recente. Il suo filosofare (e in ciò egli rappresenta veramente e pienamente la miglior coltura del tempo suo), lungi dal limitarsi al raziocinio in senso stretto, si vale anche con eguale fervore e delle facoltà poetiche, e della fantasia, e dei lumi che gli venivano dai venerati ideali classici di fresco rivendicati e dalla passione con cui in nome loro si criticava il mondo medievale: con un trasporto che al di là delle strette verità speculative involgeva tutta la vita. Il suo pensiero si nutre di una *esperienza* che mischia di continuo e pone sullo stesso piano i «documenti» lasciatici dagli antichi storici, o semplici cronisti o magari anche poeti, e i dati dell'analisi dei fatti contemporanei, e quelli, soprattutto, dell'indagine psicologica più minuta e pertinace, per cui è veramente da stimare profondo «moralista». Ed è interessante vedere nelle sue lettere come il Machiavelli tenda a diventare di continuo un *personaggio* ai suoi stessi occhi, soggetto d'analisi non meno d'una figura della Storia, o della cronaca della sua città.

Né quindi si può dire che tutti i suoi princìpi si fondino sull'osservazione, in base a quello che fu detto il suo metodo sperimentale. Ci son postulati che sono affermati quasi con un atto di fede, con una specie di «pragmatismo». Come quando, obbligato a riconoscere «quanto possa la fortuna nelle cose umane» e cioè (per dirla alla moderna) il peso di quegli elementi che sono imprevedibili perché noi nella nostra limitatezza non riusciamo mai a cogliere tutte le «cause» che entrano nel gioco, egli d'altra parte afferma «potere essere vero che la fortuna sia arbitra» soltanto «della metà delle azioni nostre». E ciò «affinché il nostro libero arbitrio non sia spento»: perché il pensare il contrario esulava completamente dalla sua visione del mondo, da quel concetto della «dignità dell'uomo» che è alla base di tutta la civiltà rinascimentale. Dove bisogna accettare il ragionamento com'è; mentre voler integrarlo in senso idealistico, come è stato pur tentato, sarebbe falsare il pensiero del Machiavelli.

Un procedere ed una mentalità di cui ci possiamo fare un'idea accostando il Nostro per esempio a Leonardo: per il quale la ragion matematica si identifica con l'ordine dell'universo, e si integra con l'esperienza restando però distinta da essa; e che si affidava altresì a poetiche intuizioni, e notava persino curiosamente favole e indovinelli, tradizioni, sentendovi come una riposta sapienza. Un procedere che riusciva in sostanza ad una specie di vivacissimo «sincretismo» (che corrisponde assai bene a quel sincretismo morale e metafisico che fu dell'umanesimo soprattutto fiorentino e offrì la base all'intera civiltà del Rinascimento): al quale dobbiamo la ricchissima vitalità dei suoi testi, la quantità di suggestioni di diverso ordine che si levano da ogni pagina e — dove lo stile è più strenuo — da ogni riga. Cosicché potremmo raffigurarci il Machiavelli come giunto, per virtù della propria fatica e portato da un ardor di scoperta comune, quasi ad un displuvio, il più alto dell'età sua, dal quale si discopre tutto un nuovo paese; e quello che direttamente o abbastanza compiutamente non si vede, si può intuire, per analogia e per sforzo di fantasia; e spostandosi ad un altro culmine, a un nuovo punto di vista, sempre lungo lo stesso discrimine, cambiano le prospettive ma non sostanzialmente la visione della nuova terra, il senso di quella scoperta; e scendendo per meglio rendersi conto della sua specifica natura in una di quelle vallate, si perdon di vista per un momento le altre; pur continuando a sapere che esse esistono, e ci daranno conferme o arricchimenti o correzioni: nel nostro lavoro di stabilire, di questa nuova terra prima ignota o solo a noi parzialmente cognita da monche relazioni di viaggiatori d'occasione, i caratteri fondamentali.

Ma, ripetiamo, in questa ricerca e nei suoi risultati, anche se una veduta modifica e sembra contraddire le conclusioni che si son tratte dall'altra, se non vi può essere una unità tutta logica e razionale, vera incertezza non c'è: data l'unità spirituale del Machiavelli, la coerenza intima del suo modo di vedere e di annotare.

Se non in una sola cosa: quella appunto che discendeva dalla sua più grande scoperta, la novità più forte, e che non per nulla è diventata il punto di maggior controversia dei suoi interpreti e commentatori: le conseguenze della separazione della sfera dell'attività politica dalla morale.

Dove egli fece un taglio nettissimo, come si sa, e certamente giusto, nel senso di storicamente indispensabile al progresso del pensiero umano; ma uno di quei tagli che se è necessario fare per scoprire la verità e liberare certe funzioni, bisogna poi ingegnarsi a ricucire in qualche modo, pur salvando l'effetto dell'avvenuta liberazione, per non creare una nuova insanabile malattia nel «corpo sociale».

Questa necessità del «ricucire» non si può dire che il Machiavelli non l'abbia sentita. Ché anzi il tema profondo dei *Discorsi* è proprio la intima religiosità d'ogni cittadino, indispensabile ad ogni veramente salda organizzazione del viver sociale, alla vita non effimera d'ogni stato. Ma sembra chiaro al contempo che egli tenda ad identificarla, anzi ad annullarla addirittura nel sùo concetto, per dirla col De Sanctis, di «religione della patria», la quale religione — come tutti sanno e il Machiavelli così frequentemente ripete — deve essere capace in certi momenti di cancellare nell'animo dei cittadini ogni e qualunque considerazione specificamente morale. Donde la difficoltà delle due posizioni; che sono i termini d'un perpetuo problema ben noto al pensiero moderno, di cui sarebbe ingiusto pretendere, si capisce, anche da un Machiavelli la *soluzione*. Ma si potrebbe pur desiderare che egli della necessità di cercare una soluzione, sia pure in termini di contingenza storica, mostrasse qualche maggior preoccupazione in sede dottrinaria, così come ne sentiva l'esigenza (checché si sia detto in contrario) nel vivo del suo sentimento morale, con una sintomatica incertezza.[1]

Risulta infatti, e soprattutto, dai *Discorsi*, l'attiva presenza di questo principio dominante, che il De Sanctis chiamò appunto religione della patria e definì in una sua chiarissima pagina.

«La *patria* del Machiavelli è una divinità, superiore anche alla moralità e alla legge. A quel modo che il Dio degli ascetici assor-

---

1. La stessa incertezza che, nel complesso, fu dichiarata dal Croce: «Niccolò Machiavelli è considerato schietta espressione del Rinascimento italiano; ma converrebbe insiememente ricollegarlo in qualche modo al movimento della Riforma, a quel generale bisogno che si avvivò nell'età sua, fuori d'Italia e in Italia, a ricercare il problema dell'anima. Ed è risaputo che il Machiavelli scopre la necessità e l'autonomia della politica, della politica che è al di là dal bene e dal male morale, che ha le sue leggi a cui è vano ribellarsi, che non si può esorcizzare e cacciare dal mondo con l'acqua benedetta. È questo il concetto che circola in tutta l'opera sua e che quantunque non sia stato da lui formulato con quella esattezza didascalica e scolastica che di solito si scambia per filosofia, è concetto schiettamente filosofico, e rappresenta la vera e propria fondazione di una filosofia della politica.»

«Ma quel che di solito non viene osservato è l'acre amarezza con la

biva in sé l'individuo, e in nome di Dio gl'inquisitori bruciavano gli eretici, per la patria tutto era lecito, e le azioni, che nella vita privata sono delitti, diventavano magnanime nella vita pubblica. *Ragion di stato* e *salute pubblica* erano le formole volgari, nelle quali si esprimeva questo dritto della patria, superiore ad ogni dritto. La divinità era scesa di cielo in terra e si chiamava la *patria*, ed era non meno terribile. La sua volontà e il suo interesse era *suprema lex*. Era sempre l'individuo assorbito nell'essere collettivo. E quando questo essere collettivo era assorbito a sua volta nella volontà di un solo o di pochi, avevi la servitù. Libertà era la partecipazione più o meno larga de' cittadini alla cosa pubblica. I dritti dell'uomo non entravano ancora nel codice della libertà. L'uomo non era un essere autonomo e di fine a se stesso: era l'istrumento della patria o, ciò che è peggio, dello Stato: parola generica, sotto la quale si comprendeva ogni specie di governo. Patria era dove tutti concorrevano più o meno al governo, e, se tutti ubbidivano, tutti comandavano: ciò che dicevasi *repubblica*. E dicevasi *principato*, dove uno comandava e tutti ubbidivano. Ma,

quale il Machiavelli accompagna questa asserzione della politica e della sua intrinseca necessità. "Se gli uomini fossero tutti buoni (egli dice) questi precetti non sariano buoni" ... Il sospiro del Machiavelli va verso un'inattingibile società di uomini buoni e puri, ed ei la sogna nei passati tempi lontani, e intanto preferisce i popoli meno culti ai più culti, quei della Magna e i montanari della Svizzera agli italiani, francesi e spagnuoli allora in auge, che sono la "corruttela del mondo" ... La mancanza di quel sentimento amaro e pessimistico distingue dal Machiavelli il Guicciardini, che prova nient'altro che una sorta di disprezzo verso gli uomini nei quali si trova tanto "poca bontà" e si accomoda tranquillamente in questo mondo disistimato, mirando solo al vantaggio del proprio "particulare".
... Più importante ancora è che il Machiavelli sia diviso d'animo e di mente, circa la politica della quale egli scopre l'autonomia: ora triste necessità di bruttarsi le mani per aver da fare con gente brutta, ora arte sublime di fondare e sostenere quella grande istituzione che è lo Stato ... È diabolica o divina politica? Il Machiavelli la vagheggia sotto l'immagine del Centauro, che appunto i poeti dipingono bellissimo tra l'umano e il ferino, e descrive il suo principe per metà uomo e per l'altra metà belva; e perché non cada dubbio sulla purezza di quell'umanità, anche gli argomenti della mente, la malizia, rigetta nella parte belluina, volendo che questa sia tra di volpe e di lione, perché il lione non si difende dai lacci e la volpe non si difende dai lupi, e sarebbe da novizio nell'arte del regnare voler "star sempre in sul lione". L'arte e la scienza politica, di pura politica, portata dagli italiani alla sua maturità gli è oggetto d'orgoglio; sicché al cardinal di Rohan che gli diceva che gli italiani non s'intendevano di guerra rispose che "i francesi non s'intendevano di stato"» (in « La Critica », Napoli, anno XXII, 1925, fasc. IV).

repubblica o principato, patria o Stato, il concetto era sempre l'individuo assorbito nella società o, come fu detto poi, l'onnipotenza dello Stato.»

Sicché il succo del pensiero politico del Machiavelli, l'insegnamento ultimo, sembrerebbe spingerci su una via in capo alla quale si trova ciò che si suole oggi indicare col nome di «statolatria». Nel che dovremmo riconoscere un limite, non già alla *dottrina* (ché quella, come è naturale, di limiti non poteva non averne) ma alla stessa universale umanità del nostro autore; anche rispetto a quelle idee che già nel primo Rinascimento si affermano: sulla «dignità dell'uomo», non solo in quanto specie o parte d'un gruppo, ma in quanto individuo pensante, in sé compiuto e affatto autonomo, che non ripete la sua perfettibilità da nessun sistema o dogma nel quale in tutto o in parte egli si annulli, ma solo dal modo come li vive e giudica nella sua coscienza.

Dobbiamo tuttavia aggiungere che il riconoscimento di questa limitazione, se pure dal punto di vista logico sembri inoppugnabile, non ci soddisfa; non ci sembra in pieno accordo come abbiamo veduto col *sentimento* del Machiavelli, e ancora con quella instancabile incontentabilità nella ricerca del vero che vibra in ogni sua pagina, con quel gusto spregiudicato di distruggere tutti i «miti» che tendono a fossilizzarsi in sistema che il De Sanctis chiamava la sua «ironia». E soprattutto ci appar repugnante a quel vivissimo senso di invito ad una verità sempre più completa, a quell'incoraggiamento continuo a pensieri di libertà e a un liberissimo pensare, che ritroviamo ad ogni passo nell'opera sua. È vero che il Machiavelli, come giustamente dice il De Sanctis, della libertà dell'individuo singolo dentro lo Stato, secondo la concezione moderna, non poteva avere chiara idea, e tanto meno dottrina. Pure, nella sua indefettibile pretesa di giudicare tutto da un punto di vista puramente e assolutamente ragionevole e umano, senza mai arretrare davanti ad una trascendenza che vuol diventare imposizione e programma, freno al più lucido intendere, sembra potersi vedere, anche di questa nostra libertà, più che un precorrimento, il principio. E non è forse avventato oggi dire come in quella religiosità intima ed attiva da lui postulata nei *Discorsi*, fondamento della solidarietà umana e civile secondo che egli trovava in Cicerone, ma al contempo fatto squisitamente individuale che deve vivere nell'intimo della coscienza di ciascun cittadino, sia da ricercare la verità più profonda del suo sentire, e insieme quel tribunale supremo cui commisurare la « moralità » di tutti gli atti, anche di quelli politici.

Mario Bonfantini

BIBLIOGRAFIA

La prima opera del Machiavelli pubblicata fu il *Decennale primo*, nel 1506, col titolo *Nicolai Malclavelli florentini Compendium rerum decennio in Italia gestarum*; nel 1521 fu stampata l'*Arte della guerra*, in Firenze, presso gli eredi di Filippo Giunta; della *Mandragola* furon fatte subito tre edizioni, senza indicazione di luogo né d'anno, ma di cui la prima fu forse a Siena nel 1520 e l'ultima si stima apparsa a Roma nel '24. I *Discorsi sopra la prima Deca di Tito Livio* usciron postumi a Roma, nel 1531, presso Antonio Blado, e nello stesso anno (posteriormente ma indipendentemente) a Firenze, presso Bernardo Giunta. Indi nel 1532, ancora parallelamente presso il Blado e il Giunta, uscirono le *Istorie fiorentine*; e finalmente, sempre nel '32, cinque anni dopo la morte del M., il Blado stampò il libro del *Principe*, con la *Vita di Castruccio Castracani* e la *Descrizione del modo tenuto dal duca Valentino nello ammazzare Vitellozzo Vitelli* ecc., e il Giunta gli stessi scritti, con in più il *Ritratto delle cose di Francia* e il *Ritratto delle cose della Magna*: sono le due edizioni dette rispettivamente « la bladiana » e « la giuntina ». Nel 1549 Bernardo Giunta a Firenze dava la *Novella di Belfagor arcidiavolo*, coi due *Decennali*, l'*Asino d'oro*, e i *Capitoli*; e nel 1559 uscirono i *Canti carnascialeschi* (nella raccolta del Lasca: *Tutti i trionfi, carri, mascherate o canti carnascialeschi*). Fra le altre edizioni cinquecentesche, notevoli le aldine di Venezia, del 1540 (*Principe, Arte della guerra, Discorsi, Historie*, in altrettanti volumetti); la bella edizione delle *Opere* del 1550, senza indicazione di luogo, in cinque tomi col ritratto del M. in frontespizio (detta perciò « la Testina »); e l'edizione di *Tutte le opere*, Ginevra, 1550.

Nell' '800 importante fu l'edizione delle *Opere* « Italia 1813 ». Indi, via via con maggior completezza e precisione critica: *Opere*, e *Opere minori*, a cura di F. Polidori, Firenze, 1843 e 1852; *Scritti inediti di N. M. risguardanti la storia e la milizia (1499-1512)*, a cura di G. Canestrini, Firenze, 1857; *L'Arte della guerra, riveduta sull'autografo*, a cura di D. Carbone, ivi, 1868; *Lettere familiari*, a cura di E. Alvisi, ivi 1883; *Il Principe*, edizione critica, a cura di G. Lisio, ivi 1889 (molte volte ristampato); *Le Istorie fiorentine*, libri I-III, a cura di V. Fiorini, ivi 1894; *La Mandragola* (« pubblicata secondo la più antica stampa ») a cura di G. Ulrich, Lipsia, 1896; *La Mandragola* a cura di S. Debenedetti, Strasburgo, Collez.

Romanica (s. d.); *Opere poetiche*, a cura di G. Gigli, Firenze, 1908; *Scritti politici scelti*, a cura di V. Osimo, voll. 2, Milano, 1910-1925; *Operette satiriche* (*Belfagor*, l'*Asino d'oro*, i *Capitoli*) a cura di L. F. Benedetto, Torino, 1920; *Le Istorie fiorentine* comm. da A. Pippi, Torino, 1920; *Le Istorie fiorentine*, testo critico con introduzione di P. Carli, Firenze, 1927; *Lettere di N. M.*, a cura di G. Lesca, ivi 1929 (nuova ed., Milano, 1945); *La Mandragola e la Clizia* a cura di D. Guerri, Torino 1932. Tra le molte edizioni parziali e le scelte: *Le Opere maggiori*, con introduzione e note di P. Carli, Firenze, 1928; *Pagine scelte di N. M.*, a cura di V. Arangio-Ruiz, Milano, 1929; *Il Principe* con prolegomeni e note critiche, e la *Antologia machiavellica*, di L. Russo, Firenze, 1931; *Le Commedie* a cura di L. Russo, Firenze, 1943. E finalmente: *Tutte le opere storiche e letterarie di N. M.* (esclusi perciò gli scritti diplomatici e simili), edizione critica a cura di G. Mazzoni e M. Casella, Firenze, 1929; *N. M. Opere* (scelte), a cura di A. Panella, Milano, 1938-39; *Tutte le Opere di N. M.*, a cura di F. Flora e C. Cordié, Milano 1949-50 (due voll., che saranno completati da un terzo, contenente le lettere, relazioni diplomatiche ecc.).

Tra le edizioni complete dell'opera machiavelliana: N.M., *Opere*, a cura di S. BERTELLI-F. GAETA, Milano, 1960-65; N.M., *Tutte le opere*, a cura di M. MARTELLI, Firenze, 1971; N.M., *Opere*, a cura di S. BERTELLI, Milano, e poi Verona, 1968-82; è tuttora in corso di pubblicazione l'edizione di tutte le *Opere* nella collana « Classici italiani » della UTET; ne sono usciti il II volume (*Istorie fiorentine e altre opere storiche e politiche*, a cura di A. MONTEVECCHI, Torino, 1971) e il terzo (*Lettere*, a cura di F. GAETA, Torino, 1984); si attende il primo volume, *Opere letterarie*, a cura di L. BLASUCCI.

In particolare per *La Mandragola* si vedano: N.M., « *La Mandragola* » e « *Clizia* », a cura di A. BORLENGHI, Milano, 1959; *Tutto il teatro*, a cura di B. CAGLI, Roma, 1975; *Teatro. Andria, Mandragola, Clizia*, a cura di G. DAVICO BONINO, Torino, 1979; *La Mandragola*, introduzione e note di G. SASSO, nota al testo e appendici di G. INGLESE, Milano, 1980; *La Mandragola*, a cura di G. DAVICO BONINO, Torino, 1981; *Mandragola, Clizia*, prefazione di E. RAIMONDI, commento a cura di G.M. ANSELMI, Milano, 1984.

Sul Machiavelli e l'opera sua: sempre importante il bel libro di P. VILLARI, *N. M. e i suoi tempi*, Firenze, 1877-78, II ed. Milano, 1895-97, III ibid., 1912, voll. 3; basilare l'opera di O. TOMMASINI, *La vita e gli scritti di N. M. nella loro relazione col machiavellismo*, voll. 2, Torino, 1883 - Roma, 1911; precedente, ma già fondatissimo, F. NITTI, *Il Machiavelli studiato nella sua vita e nella sua dottrina*, purtroppo rimasto fermo al vol. I, Napoli, 1876; e, ancor utile, J. F. NOURRISSON, *Machiavel*, Parigi, 1875. – E successivamente (fra la congerie di libri e saggi d'ogni genere e in ogni paese, e oltre alle prefazioni delle edizioni già nominate, talvolta assai pregevoli): G. ELLINGER, *Die antiken Quellen der Staatslehre Machiavelli's*, Tubinga, 1888; F. DE SANCTIS (oltre al cap. della *Storia d. Lett.* e al saggio già citati nella Introduzione), « Machiavelli », Conferenze, in *Scritti vari inediti o rari*, Napoli, 1898; R. DE MAULDE-LA CLAVIÈRE, *La diplomatie au temps de Machiavel*, Parigi, 1892-93, voll. 3;

R. Fester, *Machiavelli*, Stuttgart, 1900; V. Tangorra, «Il pensiero economico di N. M.», in *Saggi critici di economia politica*, Torino, 1900; V. Turri, *Machiavelli*, Firenze, 1902; G. Rensi, «M. e Nietzsche», in *Studi e note*, Genova, 1903; M. Dyer, *Machiavelli and the modern state*, Boston, 1904; A. Schmidt, *N. M. und die allgemeine Staatslehre der Gegenwart*, Karlsruhe, 1907; L. Couzinet, *Le Prince de M. et la théorie de l'absolutisme*, Parigi, 1910; E. Fueter, *Storia della storiografia moderna* (trad. di A. Spinelli), Napoli, 1943; B. Croce (oltre al saggio cit. nella Introduzione), su M. storico, le pagine in *Teoria e storia della storiografia*, Bari, 1917; su M. politico, in *Elementi di politica*, Bari, 1925; «Machiavelli e Vico» e «La politica e l'etica» in *Etica e Politica*, Bari, 1931; «La commedia del Cinquecento», in *Poesia popolare e poesia d'arte*, Bari, 1933. Interessanti anche del Croce, la nota *La moralità del M.*, e la recensione al libro di Lewkard von Muralt, in «Quaderni della Critica», n. 10 (1948) e n. 15 (1949); G. Gentile in *Giordano Bruno e il pensiero del Rinascimento*, Firenze, 1920; e in *Studi sul Rinascimento*, ivi, 1923; G. Toffanin, *M. e il Tacitismo*, Padova, 1921; F. Thevenet, *Les idées économiques d'un homme d'État dans la Florence des Médici. Machiavel économiste*, Grenoble, 1922; G. A. Levi, *Difesa di madonna Lucrezia*, in «Giorn. stor. d. lett. it.», LXXXVI (1925); F. Ercole, *La politica di N. M.* (raccogliendo una serie di studi dal 1916), Roma, 1926; F. Chabod (oltre alla già citata introduzione alla sua edizione del *Principe*, Torino, 1924), *Del «Principe» di N. M.*, Milano, 1926, e *Sulla composizione de «Il Principe»*, in «Archivum romanicum», XI, 1927; e dello stesso, la voce *Machiavelli* nel vol. XXI dell'Enciclopedia italiana (1934); G. Mosca, «Il *Principe* di M. quattro secoli dopo la morte del suo autore», in *Saggi di storia della scienza politica*, Roma, 1927; F. Meinecke, *Die Idee der Staaträson*, Monaco-Berlino, 1924 (traduzione italiana di D. Scolari col titolo, *L'idea della ragion di Stato nella Storia moderna*, Firenze, 1942-44); K. Vorlaender, *Von M. bis Lenin*, Lipsia, 1926; A. Norsa, *La filosofia della Storia nel M.*, in «Nuova rivista storica», 1927; G. Prezzolini, *Vita di N. M. fiorentino*, Milano, 1927; A. Panella, *Machiavelli storico*, in «Rivista d'Italia» del 15 giugno 1927; P. Carli, *N. M. scrittore*, in «Rivista d'Italia», 1927; *N. M. storico*, in «Il Marzocco», 1927; G. Chiarelli, *I più recenti studi italiani su M.*, in «Rivista internazionale di Filosofia del Diritto», 1927; G. Mazzoni, *Un capitolo inedito dei «Discorsi» di M.*, in «Rendiconti dell'Accademia», 1928; A. Momigliano, *Un capitolo ignoto dei «Discorsi» del M.*, in «La Cultura», 1928; F. Battaglia, *Studi sulla politica di M.*, in «Nuovi studi di Diritto, Economia e Politica» I e II (1928 e 1929 – importante rassegna che, assieme alle indicazioni dell'opera del Tommasini, e alle rassegne predette, può servire di repertorio bibliografico); O. Ferrara, *Maquiavelo*, L'Avana, 1928 (tradotto in italiano, ultima ed., Milano, 1944); F. Alderisio, *Religione e Stato in M.*, in «Giornale critico della Filosofia italiana», 1928; *N. M., L'arte dello Stato nell'azione e negli scritti*, Torino, 1929; *La politica del M. nella rivalutazione dello Hegel e del Fichte*, in «Nuova rivista storica», 1930; M. Rossi, *Il M. teorico della politica*, in «Annali dell'Istruzione Media»,

1929; A. OMODEO, *Storia moralistica e storia morale*, in «Civiltà moderna», 1930; P. TREVES, *M. e il problema della ragion di Stato*, ibid., 1930; L. RUSSO, *Prolegomeni al Machiavelli*, Firenze, 1931, e altri scritti dal 1927 in poi, quindi raccolti nel volume *Machiavelli*, Roma, 1945, e Bari, 1949; M. MARCAZZAN, *Appunti per un approfondimento della «Mandragola»*, in «Civiltà moderna», III, 1931, pp. 241-68 (e ancora ibid., 785-88); G. BERTONI, «La sintassi del M.: *Il Principe*», in *Studi e saggi linguistici*, Firenze, 1932; P. CARLI, *Rassegna machiavelliana*, in «Giorn. stor. d. lett. it.», 1932; MARIA MARCHESINI, *Saggio su Machiavelli*, con prefazione di N. Sapegno, Firenze, 1934; C. CURCIO, *Machiavelli nel Risorgimento*, Roma, 1934 (estratto dalla «Rivista internazionale di Filosofia del Diritto», XVI); A. SCOLARI, «Il concetto di libertà in N. M.», in *Saggi di varia letteratura*, Bologna, 1937; G. DOLCI, *Il processo a M.*, Milano, 1939; F. COLLOTTI, *M., Lo Stato*, Messina-Milano, 1939; L. MALAGOLI, *M. e la civiltà del Rinascimento*, Milano, 1941; A. MAUTINO, «Machiavelli», in appendice a *La formazione della filosofia politica di B. Croce*, Torino, 1941; A. RENAUDET, *Machiavel: Étude d'histoire des doctrines politiques*, Parigi, 1942; M. PRAZ, *Machiavelli in Inghilterra ed altri saggi*, Roma, 1942; A. PANELLA, *Gli antimachiavellici*, Firenze, 1943; G. TRASONE (Alberto Moravia), *Ritratto di M.*, in «XX Secolo, Quaderni di letteratura», Milano-Roma, 1943; E. DUPRÈ THESEIDER, *N. M. diplomatico*, Como, 1945; G. PEPE, *La politica dei Borgia*, Napoli, 1946; L. VON MURALT, *Machiavelli's Staatsgedanke*, Basilea, 1945; G. SANTONASTASO, *Niccolò Machiavelli* (con bibliografia orientativa), Milano, 1947; E. GARIN, *Storia della filosofia italiana* (cap. V), Milano, 1947; A. GRAMSCI, *Note sul M., sulla politica e sullo Stato moderno*, Torino, 1949; F. CHIAPPELLI, *Studi sul linguaggio del Machiavelli*, Firenze, 1952; C. ANGELERI, *Il problema religioso del Rinascimento*, Firenze, 1952 (con utilissima bibliografia, per tutti i problemi connessi al M. nella loro moderna impostazione).

Su Machiavelli, il suo pensiero e la sua cultura: F. CHABOD, *N.M.I. Il Segretario fiorentino*, Roma, 1953, ora in *Scritti su M.*, Torino, 1964 (reprint ivi, 1980); R. RIDOLFI, *Vita di N.M.*, Roma, 1954, riveduta e aggiornata dall'autore fino alla più recente edizione, Firenze, 1981; R. VON ALBERTINI, *Das Florentinische Staatsbewusstein im Übergang von der Republik zum Prinzipat*, Bern, 1955 (traduzione italiana: *Firenze dalla Repubblica al Principato. Storia e coscienza politica*, prefazione di F. CHABOD, Torino, 1970); A. PASSERIN D'ENTRÈVES, *M. immortale e M. immaginario*, in *Dante politico e altri saggi*, Torino, 1955; G. PARAZZOLI, *N.M. e la lezione liviana*, Milano, 1955; L. STRAUSS, *Thoughts on M. Glencoe*, Ill. (traduzione italiana: *Pensieri su M.*, Milano, 1970); G. SASSO, *N.M. Storia del suo pensiero politico*, Napoli, 1958 e, ampiamente riveduto, Bologna, 1980; G. MOUNIN, *Machiavel*, Paris, 1958; J.R. HALE, *M. and Renaissance Italy*, London, 1961; R. NAMER, *Machiavel*, Paris, 1961; L. MOSSINI, *Necessità e legge nell'opera del M.*, Milano, 1962; B. BRUNELLO, *M. e il pensiero politico del Rinascimento*, Bologna, 1964; F. GILBERT, *N.M. e la vita culturale del suo tempo*, Bologna, 1964; *M. and Guicciardini. Politics and History in Sixteenth Century Florence*, Princeton, 1965 (traduzione italiana *M. e Guicciardini. Pensiero politico e storiografia a Firenze nel*

Cinquecento, Torino, 1970; G. Sasso, *Studi su M.*, Napoli, 1967; J.H. Whit-
field, *Discourses on M.*, Cambridge, 1969; F. Chiappelli, *Nuovi studi sul linguaggio del M.*, Firenze, 1969; E. Garin, *Dal Rinascimento all'Illuminismo*,
Pisa, 1970; Aa.Vv., *Studies on Machiavel*, edited by M.P. Gilmore, Firenze,
1972; N. Borsellino, *N.M.*, Roma-Bari, 1973; A. Bonameo, *Corruption, Con-
flict and Power in the Works and Times of N.M.*, Berkeley-Los Angeles-London, 1973; Aa.Vv., *M. nel V centenario della nascita*, Bologna, 1973; F. Gilbert, *M. e il suo tempo*, Bologna, 1977; G. M. Anselmi, *Ricerche sul M. storico*, Pisa, 1979; U. Dotti, *N.M. La fenomenologia del potere*, Milano, 1979; C.
Dionisotti, *Machiavellerie. Storia e fortuna di M.*, Torino, 1980; M. Brion,
Machiavel, Bruxelles, 1983; N. Matteucci, *Alla ricerca dell'ordine politico.
Da M. a Tocqueville*, Bologna, 1984; C. Bec, *Machiavel*, Paris, 1985; H.F.
Pitkin, *Fortune is a woman. Gender and politics in the thought of N.M.*, Berkeley-Los Angeles-London, 1987; G. Barberi Squarotti, *M. o la scelta della
letteratura*, Roma, 1987; G. Sasso, *M. e gli antichi e altri saggi*, 3 voll., Milano-Napoli, 1987-88; P.S. Donaldson, *M. and mystery of State*, New York,
1988.

Su *La Mandragola*: A. Parronchi, *La prima rappresentazione della Mandragola. Il modello per l'apparato. L'allegoria*, in «La Bibliofilia», LXIV
(1962), pp. 37-86; R. Ridolfi, *Introduzione a «La Mandragola» di N.M. per
la prima volta restituita alla sua integrità*, Firenze, 1965; G. Barberi Squarotti, *La struttura astratta delle commedie*, in *La forma tragica del Principe e altri saggi sul M.*, Firenze, 1966; R. Tissoni, *Per una nuova edizione della
Mandragola del M.*, in GSLI, CXLIII (1966), pp. 241-58; F. Fido, *M.
1469-1969: politica e teatro nel badalucco di messer Nicia*, in *Le metamorfosi
del Centauro*, Roma, 1977; E. Raimondi, *Il Segretario a teatro*, in *Politica e
commedia*, Bologna, 1972; N. Borsellino, *M. e il teatro. L'esperienza comica*,
in *Rozzi e Intronati. Esperienze e forme di teatro dal «Decameron» al «Candelaio»*, Roma, 1974; Aa.Vv., *Lingua e strutture del teatro italiano del Rinascimento*, Padova, 1970; G. Aquilecchia, «*La favola Mandragola si chiama*»,
in *Schede di italianistica*, Torino, 1976; G. Ferroni, «*Mutazione*» *e* «*riscontro*» *nel teatro di M. e altri saggi sulla commedia del Cinquecento*, Roma,
1972; G. Cavallini, *Interpretazione della Mandragola*, Milano, 1973; M. Ba-
ratto, *La commedia del Cinquecento*, Vicenza, 1975; G. Padoan, *Momenti del
Rinascimento veneto*, Padova, 1978; A. Guidotti, *Una perfetta macchina dram-
maturgica: «La Mandragola»*, in *Il modello e la trasgressione: commedie del
primo '500*, Roma, 1983; C. Dionisotti, *Appunti su «La Mandragola»*, in
«Belfagor», XXXIX (1984), pp. 621-44.

LA MANDRAGOLA

PERSONAGGI

CALLIMACO	SOSTRATA
SIRO	FRATE TIMOTEO
MESSER NICIA	UNA DONNA
LIGURIO	LUCREZIA

*

CANZONE

*da dirsi innanzi alla commedia, cantata da
ninfe e pastori insieme.*[1]

Perché la vita è brieve
e molte son le pene
che vivendo e stentando ognun sostiene,

    dietro alle nostre voglie
andiam passando e consumando gli anni,
ché chi il piacer si toglie
per viver con angosce e con affanni,
non conosce gli inganni
del mondo, o da quai mali
e da che strani casi
oppressi quasi — sian tutti i mortali.

    Per fuggir questa noia,
eletta solitaria vita abbiamo,

---

1. *La Mandragola*, scritta nel più intenso periodo creativo del M., fra il
1513 e il '20 (ma forse più vicino alla prima data), fu fatta rappresentare la
prima volta nel carnevale del 1526 a Modena dal Guicciardini, «Presidente» ossia governatore delle Romagne per conto del papa. Il Machiavelli in tale occasione fece «cinque canzone nuove», «per cantarle tra gli
atti» (in verità, questa come apertura dello spettacolo, le altre nei quattro
intervalli), e mandò a tale scopo all'amico la cantatrice da lui amata, Barbara Salutati (vedasi qui avanti la sua lettera a Francesco Guicciardini
del 3 gennaio 1525 stile fiorentino, cioè 1526 per noi).

e sempre in festa e in gioia
giovin leggiadri e liete Ninfe stiamo.
Or qui venuti siamo
con la nostra armonia,
sol per onorar questa
sì lieta festa — e dolce compagnia.

  Ancor ci ha qui condutti
il nome di colui che vi governa,
in cui si veggon tutti
i beni accolti in la sembianza eterna.[1]
Per tal grazia superna,
per sì felice stato,
potete lieti stare,
godere e ringraziare — chi ve lo ha dato.[2]

---

1. Vale a dire, le qualità del supremo governatore del mondo, Iddio. La formula del complimento al Guicciardini, evidentemente tirata dalla rima, sembra un po' eccessiva.   2. « La rima interna col verso precedente aggiunge una sillaba all'endecasillabo; ma la correzione avveniva nella pronunzia » (Flora).

PROLOGO

Iddio vi salvi, benigni uditori,
quando e' par che dependa
questa benignità da lo esser grato.[1]
Se voi seguite di non far romori,
noi vogliàn che s'intenda
un nuovo caso in questa terra nato.[2]
Vedete l'apparato,
quale or vi si dimostra:
questa è Firenze vostra;
un'altra volta sarà Roma o Pisa:
cosa da smascellarsi per le risa.

Quello uscio che mi è qui in su la man ritta,
la casa è d'un dottore
che 'mparò in sul Buezio legge assai.[3]
Quella via che è colà in quel canto fitta,
è la Via dello Amore,
dove chi casca non si rizza mai.
Conoscer poi potrai
a l'abito d'un frate,
qual priore o abate
abiti el tempio ch'all'incontro è posto,[4]
se di qui non ti parti troppo tosto.

Un giovane, Callimaco Guadagni,
venuto or da Parigi,
abita là in quella sinistra porta.
Costui, fra tutti gli altri buon compagni,
a' segni ed a' vestigi

1. *quando ... da lo esser grato*: poiché la vostra benigna accoglienza sembra indicare che lo spettacolo vi è gradito. 2. *nato*: accaduto. La *terra* ossia città dove si svolge l'azione, è Firenze, come si capiva anche dalla scena (vedi versi seguenti). 3. *Buezio* è corruzione scherzosa del nome del filosofo Boezio, che qui è preso come un maestro di giurisprudenza, a facilitare il gioco di parole già comune nei poeti burleschi. 4. « Il tempio è indeterminato; ma l'abito è molto probabilmente quello dei Servi, coi quali il M. ce l'aveva più fitta » (Guerri).

l'onor di gentilezza e pregio porta.
Una giovane accorta
fu da lui molto amata,
e per questo ingannata
fu come intenderete, ed io vorrei
che voi fussi ingannate come lei.[1]

La favola *Mandragola* si chiama.
La cagion voi vedrete
nel recitarla, come io m'indovino.[2]
Non è el componitor di molta fama:
pur se voi non ridete,
egli è contento di pagarvi el vino.
Uno amante meschino,
un dottor poco astuto,
un frate mal vissuto,
un parassito di malizia el cucco,[3]
fien questo giorno el vostro badalucco.[4]

E se questa materia non è degna,[5]
per esser pur leggieri,
d'un uom che voglia parer saggio e grave,
scusatelo con questo, che s'ingegna
con questi van pensieri
fare el suo tristo tempo più suave,
perch'altrove non have
dove voltare el viso:
ché gli è stato interciso
monstrar con a..re imprese altra virtue,
non sendo premio alle fatiche sue.

1. La salace battuta è rivolta alle spettatrici, a creare quell'atmosfera di
grassa farsa entro la quale si sviluppano i motivi ben più profondi della
commedia. 2. *come io m'indovino*: a quanto io posso facilmente prevedere. *Mandragola* (meglio mandragora) è il nome d'una pianta medici-
nale usatissima nel medioevo, cui si attribuivano virtù miracolose, anche
per la curiosa forma della radice, nella quale si può ritrovare il disegno
schematico di un minuscolo corpo umano. 3. *di malizia el cucco*: che è
il cucco, il prediletto, della Malizia. 4. *badalucco*: trattenimento, divertimento. 5. *non è degna*: la commedia era ritenuta allora genere letterario
inferiore.

El premio che si spera è che ciascuno
si sta da canto e ghigna,
dicendo mal di ciò che vede o sente.
Di qui depende sanza dubio alcuno
che per tutto traligna
da l'antica virtù el secol presente;
imperò che la gente,
vedendo ch'ognun biasma,
non s'affatica e spasma
per far con mille suoi disagi un'opra
che 'l vento guasti o la nebbia ricuopra.[1]

Pur se credessi alcun, dicendo male,
tenerlo pe' capegli
e sbigottirlo o ritirarlo in parte,
io lo ammunisco e dico a questo tale
che sa dir male anch'egli,
e come questa fu la sua prim'arte:[2]
e come, in ogni parte
del mondo ove el sì suona,
non istima persona,
ancor che facci el sergieri a colui
che può portar miglior mantel di lui.[3]

Ma lasciàn pur dir male a chiunche vuole.
Torniamo al caso nostro,
acciò che non trapassi troppo l'ora.

1. Il lamento per il triste destino individuale dell'autore si amplia ad una
amara considerazione sulla vita pubblica dell'Italia a quei tempi: dove lo
scoramento si è rivolto in malizia e mania di tutto criticare, così che nessuno più si affatica e spasima (*spasma*) per riuscire a qualche degna opera
che poi il *vento* della calunnia guasterà o la *nebbia* dell'oblio ricoprirà.
2. *Pur se credessi alcun*...: non credano tuttavia le malelingue di poter im-
prigionar l'ingegno dell'autore e sbigottirlo, sì da indurlo a ritrarsi anche
dallo scrivere! egli saprebbe rispondere con altrettanta mordacità, essendo
questa un'arte in cui è bravissimo.   3. Il M. in fondo, in tutta Italia non
ha riguardo di nessuno: anche se è obbligato a mostrar rispetto a quelli che
son più ricchi e potenti di lui. *Sergieri* o *sergeri* si trova al plurale in una
canzonetta del Poliziano col chiaro significato di esagerati atti di rispetto
(«Pien d'inchini e di sergeri»); ma qui forse, al singolare, è usato come
sostantivo, con riguardo alla etimologia, da «sergente», ossia servente.

Far conto non si de' delle paroie,
né stimar qualche mostro
che non sa forse s', e' si è vivo ancora.[1]
Callimaco esce fuora
e Siro con seco ha
suo famiglio,[2] e dirà
l'ordin di tutto. Stia ciascuno attento,
né per ora aspettate altro argumento.

---

1. *né stimar* ...: e non badare all'opinione di qualche bestione (*mostro*)
che forse non sa nemmeno bene se è al mondo. 2. *Callimaco* ... e *Siro*
suo servo ... Benché l'azione si svolga nella Firenze contemporanea,
quasi tutti i nomi dei personaggi sono classicheggianti, presi dalla commedia antica.

ATTO PRIMO

SCENA I

Callimaco, Siro.

CALLIMACO. Siro, non ti partire, i' ti voglio un poco.

SIRO. Eccomi.

CALLIMACO. Io credo che tu ti maravigliassi della mia subita partita da Parigi, ed ora ti maravigli send'io stato qui già un mese senza fare alcuna cosa.

SIRO. Voi dite el vero.

CALLIMACO. Se io non ti ho detto infino a qui quello che io ti dirò, non è stato per non mi fidare di te ma per iudicare,[1] le cose che l'uomo vuole non si sappino, sia bene non le dire se non forzato. Pertanto pensando io avere bisogno della opera tua, ti voglio dire el tutto.

SIRO. Io vi son servitore, e servi non debbono mai domandare e padroni d'alcuna cosa, né cercare alcuno loro fatto, ma quando per loro medesimi le dicono, debbono servirgli con fede: e così ho fatto e son per fare io.

CALLIMACO. Già lo so. Io credo che tu mi abbi sentito dire mille volte, ma e' non importa che tu lo intenda mille una, come io avevo dieci anni quando da e mia tutori, sendo mio padre e mia madre morti, io fui mandato a Parigi, dove io sono stato venti anni. E perché in capo di dieci cominciorno, per la passata del re Carlo, le guerre in Italia, le quale ruinorno quella provincia, deliberai di vivermi a Parigi e non mi ripatriare mai, giudicando potere in quel luogo vivere più sicuro che qui.

SIRO. Egli è così.

CALLIMACO. E commesso di qua che fussino venduti tutti e mia beni fuora che la casa, mi ridussi a vivere quivi,[2] dove son stato dieci altr'anni con una felicità grandissima . . .

SIRO. Io lo so.

CALLIMACO. . . . avendo compartito el tempo parte alli studii, parte a' piaceri e parte alle faccende. E in modo mi travagliavo in ciascuna di queste cose che l'una non mi impediva la via dell'altra.

1. *ma per iudicare*: ma perché io giudico che . . . 2. *quivi*: colà, a Parigi.

E per questo, come tu sai, vivevo quietissimamente giovando a
ciascuno e ingegnandomi di non offendere persona; tal che mi
pareva essere grato a' borghesi, a' gentiluomini, al forestiero, al
terrazzano,[1] al povero, al ricco.

SIRO. Egli è la verità.

CALLIMACO. Ma parendo alla Fortuna che io avessi troppo bel
tempo, fece che capitò a Parigi un Cammillo Calfucci.

SIRO. Io comincio a indovinarmi del male vostro.

CALLIMACO. Costui come gli altri fiorentini era spesso convitato
da me, e nel ragionare insieme, accadde un giorno che noi venim-
mo in disputa, dove erono più belle donne o in Italia o in Francia.
E perché io non potevo ragionare delle italiane sendo sì piccolo
quando mi partii, alcuno altro fiorentino che era presente prese la
parte franzese, e Cammillo la italiana, e doppo molte ragione as-
segnate da ogni parte disse Cammillo quasi che irato, che se tutte
le donne italiane fussino monstri, che una sua parente era per ria-
vere l'onore loro.

SIRO. Io son or chiaro di quello che voi volete dire.

CALLIMACO. E nominò madonna Lucrezia, moglie di messer Nicia
Calfucci, alla quale dette tante laude e di bellezze e di costumi
che fece restare stupidi qualunche di noi, e in me destò tanto desiderio di vederla che io, lasciato ogni altra deliberazione né pensando più alle guerre o alla pace di Italia, mi messi a venire qui:
dove arrivato ho trovato la fama di madonna Lucrezia essere minore assai che la verità, il che occorre rarissime volte, e sommi acceso in tanto desiderio d'essere seco che io non truovo loco.

SIRO. Se voi me ne avessi parlato a Parigi io saprei che consigliarvi,
ma ora non so io che mi vi dire.

CALLIMACO. Io non ti ho detto questo per voler tua consigli ma
per sfogarmi in parte, e perché tu prepari l'animo ad aiutarmi dove
el bisogno lo ricerchi.

SIRO. A cotesto son io paratissimo, ma che speranza ci avete voi?[2]

CALLIMACO. Ahimè! nessuna o poche. E dicoti: in prima mi fa la
guerra la natura di lei che è onestissima e al tutto aliena dalle cose

---

1. *terrazzano*: cittadino, in opposizione a *forestiero*. 2. L'antefatto della
commedia (l'innamorarsi da lontano, « per udita ») è secondo un vecchio
motivo romanzesco e novellistico; e sembra non del tutto intonato col
pittoresco e colorito realismo che poi predomina. Comunque l'azione vera
e propria comincia solo adesso.

d'amore: avere el marito ricchissimo e che al tutto si lascia governare da lei e se non è giovane non è al tutto vecchio, come pare:[1]
non avere parenti o vicini con chi ella convenga ad alcuna vegghia
o festa o ad alcuno altro piacere di che si sogliono delettare le
giovani. Delle persone mecaniche[2] non gliene capita a casa nessuna, non ha fante né famiglio che non tremi di lei: in modo che
non ci è luogo d'alcuna corruzione.

SIRO. Che pensate adunque potere fare?

CALLIMACO. E' non è mai alcuna cosa sì desperata che non vi sia
qualche via da poterne sperare, e benché la fussi debole e vana, e la
voglia e il desiderio che l'uomo ha di condurre la cosa non la fa
parere così.

SIRO. Infine, e che vi fa sperare?

CALLIMACO. Dua cose: l'una, la semplicità di messer Nicia, che
benché sia dottore[3] egli è el più semplice e el più sciocco omo di
Firenze; l'altra, la voglia che lui e lei hanno di avere figliuoli, che
sendo stata sei anni a marito e non avendo ancor fatti, ne hanno,
sendo ricchissimi, un desiderio che muoiono. Una terza ci è, che
la sua madre è stata buona compagna.[4] Ma l'è ricca, tale che io
non so come governarmene.

SIRO. Avete voi, per questo, tentato per ancora cosa alcuna?

CALLIMACO. Sì ho, ma piccola cosa.

SIRO. Come?

CALLIMACO. Tu conosci Ligurio, che viene continuamente a man-
giar meco. Costui fu già sensale di matrimoni, dipoi s'è dato a
mendicare cene e desinari. E perché egli è piacevole uomo, messer
Nicia tien con lui una stretta dimestichezza, e Ligurio l'uccella,[5]
e benché nol meni a mangiare seco,[6] li presta alle volte danari. Io
me lo son fatto amico e li ho communicato il mio amore, lui mi
ha promesso d'aiutarmi con le mane e co' piè.

---

1. *come pare*: a quel che pare. 2. *persone mecaniche*: di mestieri manuali,
artigiani o operai (che si potessero incaricare di qualche messaggio amoro-
so, come è spiegato poi). 3. *dottore*: in leggi, come è detto nel Prologo,
il che non gli impedisce una certa « buaggine ». La satira al semplicione
cui né gli studi né i gradi accademici hanno valso a dirozzare il cervello,
era comune già dal medioevo, e M. ne trovava famosi esempi nel Boccaccio. 4. *buona compagna*: donna di allegra compagnia, non troppo au-
stera. 5. *l'uccella*; lo beffa, se ne fa giuoco. 6. Di vita ritirata, come è
detto, messer Nicia non usa invitare in casa né dar da mangiare a « pa-
rassiti ».

SIRO. Guardate che non vi inganni: questi pappatori[1] non sogliono
avere molta fede.

CALLIMACO. Egli è el vero. Nondimeno, quando una cosa fa per
uno, si ha a credere, quando tu gliene communichi, che ti serva
con fede. Io gli ho promesso, quando e' riesca, donargli buona
somma di danari; quando non riesca, ne spicca un desinare e una
cena, ché ad ogni modo non mangerei solo.

SIRO. Che ha egli promesso insino a qui di fare?

CALLIMACO. Ha promesso di persuadere a messer Nicia che vadia
con la sua donna al bagno[2] in questo maggio.

SIRO. Che è a voi cotesto?[3]

CALLIMACO. Che è a me? Potrebbe quel luogo farla diventare
d'un'altra natura, perché in simili lati[4] non si fa se non festeggiare.
E io me ne andrei là, e vi condurrei di tutte quelle ragioni piaceri
che io potessi, né lascerei indrieto alcuna parte di magnificenzia:
fare'mi familiare suo e del suo marito. Che so io? Di cosa nasce
cosa, e il tempo la governa.

SIRO. E' non mi dispiace.

CALLIMACO. Ligurio si partì questa mattina da me, e disse che
sarebbe con messer Nicia sopra questa cosa,[5] e me ne risponderebbe.

SIRO. Eccoli di qua insieme.

CALLIMACO. Io mi vo' tirare da parte, per essere a tempo a parlare
con Ligurio quando si spicca dal dottore. Tu intanto ne va' in
casa alle tue faccende; e se io vorrò che facci cosa alcuna io tel
dirò.

SIRO. Io vo.

SCENA II

Messer Nicia, Ligurio.

NICIA. Io credo ch'e' tua consigli sien buoni, e parla'ne iersera con
la donna. Disse che mi risponderebbe oggi, ma a dirti el vero io
non ci vo di buone gambe.

LIGURIO. Perché?

1. *pappatori*: scrocconi.   2. *al bagno*: alle bagnature, in qualche luogo
d'acque.   3. *Che è a voi ...?*: Che importanza ha per voi?   4. *in simili
lati*: da quelle parti, in quei posti.   5. *sopra questa cosa*: per parlar di
questo.

NICIA. Perché io mi spicco mal volentieri da bomba.[1] Dipoi a avere a travasare moglie, fante, masserizie, ella non mi quadra. Oltra di questo, io parlai iersera a parecchi medici. L'uno dice che io vadia a San Filippo, l'altro alla Porretta, l'altro alla Villa:[2] e' mi parvono parecchi uccellacci, e a dirti el vero questi dottori di medicina non sanno quello che si pescono.[3]

LIGURIO. E' vi debbe dare briga quello che voi dicesti prima, perché voi non siete uso a perdere la Cupola di veduta.[4]

NICIA. Tu erri! Quando io era più giovane io son stato molto randagio. E non si fece mai la fiera a Prato che io non vi andassi, e non ci è castel veruno all'intorno dove io non sia stato: e ti vo' dire più là: io sono stato a Pisa e a Livorno, oh va'![5]

LIGURIO. Voi dovete avere veduto la carrucola di Pisa.

NICIA. Tu vuo' dire la Verrucola.[6]

LIGURIO. Ah! sì, la Verrucola. A Livorno vedesti voi el mare?

NICIA. Bene sai che io il vidi!

LIGURIO. Quanto è egli maggiore che Arno?

NICIA. Che Arno? Egli è per quattro volte, per più di sei, per più di sette mi farai dire: e non si vede se non acqua acqua acqua.

LIGURIO. Io mi maraviglio adunque, avendo voi pisciato in tante neve,[7] che voi facciate tanta difficultà d'andare al bagno.

NICIA. Tu hai la bocca piena di latte. E' ti pare a te una favola avere a sgominare tutta la casa? Pure io ho tanta voglia d'avere figliuoli che io son per fare ogni cosa. Ma parlane un poco tu con questi maestri, vedi dove e' mi consigliassino che io andassi; e io sarò intanto con la donna, e ritroverrenci.

LIGURIO. Voi dite bene.

---

1. *da bomba*: dall'argomento; e qui, dai fatti miei, da casa mia.   2. Tutti luoghi d'acque non troppo lontani. Noti anche adesso i Bagni della Porretta.   3. Frase proverbiale popolare, per dire che hanno poco discernimento.   4. Cioè non s'allontanava mai da Firenze tanto da perder di vista il «Cupolone» (la famosa cupola di Santa Maria del Fiore, opera del Brunelleschi).   5. Facili scherzi, come quei che seguono: gli pare d'esser stato gran viaggiatore, mentre non è mai uscito di Toscana.   6. *Verrucola*: la Verruca, balzo dei monti pisani più visibile dalla città.   7. Scherzosamente si diceva d'uno che aveva molto viaggiato, che aveva «pisciato in molte nevi»

SCENA III
Ligurio, Callimaco.

LIGURIO. Io non credo che sia nel mondo el più sciocco uomo
di costui, e quanto la fortuna lo ha favorito! Lui ricco, lui bella
donna, savia, costumata e atta a governare un regno. E parmi che
rare volte si verifichi quel proverbio ne' matrimoni che dice: —
Dio fa gli uomini, e' si appaiano! — perché spesso si vede uno
uomo ben qualificato sortire[1] una bestia, e per avverso una prudente donna avere un pazzo. Ma della pazzia di costui se ne cava
questo bene, che Callimaco ha che sperare. Ma eccolo. Che vai
tu apostando, Callimaco?
CALLIMACO. Io ti aveva veduto col dottore, e aspettavo che tu ti
spiccassi da lui per intendere quello avevi fatto.
LIGURIO. Egli è uno uomo della qualità che tu sai, di poca prudenzia, di meno animo: e partesi mal volentieri da Firenze. Pure
io ce l'ho riscaldato, e mi ha detto infine che farà ogni cosa. E
credo che quando e' ci piaccia questo partito, che noi ve lo condurreno; ma io non so se noi ci faremo el bisogno nostro.
CALLIMACO. Perché?
LIGURIO. Che so io? Tu sai che a questi bagni va d'ogni qualità
gente, e potrebbe venirvi uomo a chi madonna Lucrezia piacessi
come a te, che fussi ricco più di te, che avessi più grazia di te;
in modo che si porta pericolo di non durare[2] questa fatica per
altri, e che intervenga che la copia de' concorrenti la faccino più
dura,[3] o che dimesticandosi la si volga ad un altro e non a te.
CALLIMACO. Io conosco che tu di' el vero. Ma come ho a fare?
Che partito ho a pigliare? Dove mi ho a volgere? A me bisogna
tentare qualche cosa, sia grande, sia periculosa, sia dannosa, sia
infame. Meglio è morire che vivere così. Se io potessi dormire la
notte, se io potessi mangiare, se io potessi conversare, se io potessi pigliare piacere di cosa veruna, io sarei più paziente ad aspettare el tempo; ma qui non ci è rimedio: e se io non son tenuto in
speranza da qualche partito, io mi morrò in ogni modo; e veggendo

---

1. *sortire*: avere in sorte.   2. *si porta pericolo di non durare*: si corre il ri-
schio di affrontare (col *non* pleonastico, esemplato sul « ne » latino).   3. *la
faccino più dura*: rendano Lucrezia più difficile, schiva.

di avere a morire, non sono per temere cosa alcuna ma per pigliare qualche partito bestiale, crudo, nefando.¹

LIGURIO. Non dir così, raffrena cotesto impeto dell'animo.

CALLIMACO. Tu vedi bene che per raffrenarlo io mi pasco di simili pensieri.² E però è necessario o che noi seguitiamo di mandare costui al bagno, o che noi entriamo per qualche altra via che mi pasca d'una speranza se non vera falsa almeno, per la quale io mi nutrisca un pensiero che mitighi in parte tanti mia affanni.

LIGURIO. Tu hai ragione, e io son per farlo.

CALLIMACO. Io lo credo, ancora che io sappia ch'e pari tuoi vivino d'uccellare li uomini. Nondimanco, io non credo essere in quel numero, perché quando tu el facessi ed io me ne avvedessi, cercherei di valermene,³ e perderesti ora l'uso della casa mia e la speranza d'avere quello che per lo avvenire t'ho promesso.

LIGURIO. Non dubitare della fede mia, ché quando e' non ci fussi l'utile che io sento e che io spero, ci è che 'l tuo sangue si affà col mio, e desidero che tu adempia questo tuo desiderio presso a quanto tu. Ma lasciamo ire questo. El dottore mi ha commesso che io truovi un medico e intenda a quale bagno sia bene andare. Io voglio che tu faccia a mio modo: e questo è che tu dica di avere studiato in medicina e abbi fatto a Parigi qualche sperienzia; lui è per crederlo facilmente, per la semplicità sua e per essere tu litterato e poterli dire qualche cosa in grammatica.⁴

CALLIMACO. A che ci ha a servire cotesto?

LIGURIO. Serviracci a mandarlo a qual bagno noi vorreno, ed a pigliare qualche altro partito che io ho pensato, che sarà più corto, più certo, più riuscibile che 'l bagno.

CALLIMACO. Che di' tu?

LIGURIO. Dico che se tu arai animo e se tu confiderai in me, io ti do questa cosa fatta innanzi che sia domani questa otta.⁵ E quando e' fussi uom che non è, da ricercare se tu se' o non se' medico, la brevità del tempo, la cosa in sé, farà che non ne ragionerà o che

1. Callimaco, intelligente, conosce il suo stato, ma è preda della violenza della sua passione che, tutta sensuale, solo nella sincerità della sua sofferenza trova una scusa. 2. *mi pasco di simili pensieri*: pongo le mie speranze in questi progetti. 3. *valermene*: rivalermi, vendicarmi. 4. *in grammatica*: in latino. Le solite parolette latine che gettavano fumo negli occhi ai semplici. 5. *questa otta*: a quest'ora. Il riguardo al principio dell'unità di tempo, che voleva l'azione teatrale conchiusa nelle ventiquattr'ore, si direbbe concorra in questo caso alla efficace rapidità della vicenda.

non sarà a tempo a guastarci el disegno, quando bene e' ne ragionassi.

CALLIMACO. Tu mi risusciti. Questa è troppa gran promessa, e pascimi di troppa grande speranza. Come farai?

LIGURIO. Tu el saperrai quando e' fia tempo, per ora non occorre che io te lo dica, perché el tempo ci mancherà a fare nonché a dire. Tu vanne in casa e quivi mi aspetta, e io anderò a trovare el dottore: e se io lo conduco a te, andrai seguitando il mio parlare e accomodandoti a quello.

CALLIMACO. Così farò, ancora che tu mi riempia d'una speranza che io temo non se ne vadia in fumo.

CANZONE

dopo il primo atto.

Chi non fa prova, Amore,
della tua gran possanza, indarno spera
di far mai fede vera[1]
qual sia del cielo il più alto valore,
né sa come si vive insieme e muore,
come si segue il danno e 'l ben si fugge,
come s'ama se stesso
men d'altrui, come spesso
timore e speme i cori adiaccia e strugge;
né sa come ugualmente uomini e dèi
paventan l'arme di che armato sei.[2]

1. *di far mai* . . .: di riuscire a capire veramente . . .   2. Questa stanza di canzone è un centone di facili petrarchismi; ma l'ultimo distico reca l'impronta dell'energia machiavellica.

ATTO SECONDO

SCENA I

Ligurio, messer Nicia, Siro.

LIGURIO. Come io vi ho detto, io credo che Dio ci abbi mandato costui perché voi adempiate el desiderio vostro. Egli ha fatto a Parigi esperienzie grandissime, e non vi maravigliate se a Firenze e' non ha fatto professione dell'arte, ché n'è suto cagione, prima per esser ricco, secondo perché egli è ad ogni ora per tornare a Parigi.

NICIA. Ormai, frate sì, cotesto bene importa;[1] perché io non vorrei che mi mettessi in qualche lecceto e poi mi lasciassi in sulle secche.

LIGURIO. Non dubitate di cotesto, abbiate solo paura che non voglia pigliare questa cura; ma se la piglia, e' non è per lasciarvi infino che non ne vede el fine.

NICIA. Di cotesta parte i' mi vo' fidare di te; ma della scienzia io ti dirò ben io, come io li parlo, s'egli è uom di dottrina, perché a me non venderà egli vesciche!

LIGURIO. E perché io vi conosco, vi meno io a lui acciò li parliate. E se, parlato li avete, e' non vi pare per presenzia, per dottrina, per lingua, uno uomo da metterli il capo in grembo, dite che io non sia desso.[2]

NICIA. Or sia, al nome dell'Agnol santo! Andiamo. Ma dove sta egli?

LIGURIO. Sta in su questa piazza, in quell'uscio che voi vedete dirimpetto a voi.

NICIA. Sia con buona ora.

LIGURIO. Ecco fatto.

SIRO. Chi è?

LIGURIO. Evvi Callimaco?

SIRO. Sì, è.

NICIA. Che non di' tu maestro Callimaco?

LIGURIO. E' non si cura di simil baie.

NICIA. Non dire così, fa' il tuo debito, e s' e' l'ha per male, scingasi![3]

---

1. Nicia protesta: il fatto che Callimaco debba da un momento all'altro andar via, ha la sua importanza! 2. *non sia desso*: non sia più io stesso.
3. . . . . *scingasi*: si cali pur le brache. Metafora oscena, a significare: se poi la prende in mala parte, peggio per lui.

SCENA II

Callimaco, messer Nicia, Ligurio.

CALLIMACO. Chi è quello che mi vuole?

NICIA. *Bona dies, domine magister.*

CALLIMACO. *Et vobis bona, domine doctor*

LIGURIO. Che vi pare?

NICIA. Bene, alle guagnèle![1]

LIGURIO. Se voi volete che io stia qui con voi, voi parlerete in modo che io v'intenda, altrimenti noi faremo duo fuochi.[2]

CALLIMACO. Che buone faccende?

NICIA. Che so io? Vo cercando duo cose che un altro per avventura fuggirebbe: questo è di dare briga a me e ad altri. Io non ho figliuoli e vorre'ne, e per avere questa briga vengo a dare impaccio a voi.

CALLIMACO. A me non fia mai discaro fare piacere a voi ed a tutti li uomini virtuosi e da bene come voi: e non mi son a Parigi affaticato tanti anni per imparare, per altro se non per potere servire a' pari vostri.

NICIA. Gran mercé; e quando voi avessi bisogno dell'arte mia, io vi servirei volentieri. Ma torniamo *ad rem nostram.* Avete voi pensato che bagno fussi buono a disporre la donna mia a impregnare? ché io so che qui Ligurio vi ha detto quello che vi s'abbia detto.

CALLIMACO. Egli è la verità, ma a volere adempiere el desiderio vostro, è necessario sapere la cagione della sterilità della donna vostra, perché le possono essere più cagioni. *Nam causae sterilitatis sunt: aut in semine, aut in matrice, aut in strumentis seminariis, aut in virga, aut in causa extrinseca.*

NICIA. Costui è el più degno uomo che si possa trovare!

CALLIMACO. Potrebbe, oltra a di questo, causarsi questa sterilità da voi per impotenzia; e quando questo fussi, non ci sarebbe rimedio alcuno.

NICIA. Impotente io? Oh! voi mi farete ridere! Io non credo che

---

1. *alle guagnèle*: corruzione popolare dell'esclamazione: «in nome dei Vangeli»; ma dal Boccaccio in poi era già passata nel frasario d'obbligo della letteratura burlesca. 2. *faremo duo fuochi*: due focolari, famiglie; vale a dire: «ci separeremo».

sia el più ferrigno e il più rubizzo uomo in Firenze di me.

CALLIMACO. Se cotesto non è, state di buona voglia che noi vi troverremo qualche remedio.

NICIA. Sarebbeci egli altro remedio ch' e bagni? Perché io non vorrei quel disagio, e la donna uscirebbe di Firenze mal volentieri.

LIGURIO. Sì, sarà! io vo' rispondere io. Callimaco è tanto respettivo che è troppo. Non mi avete voi detto di sapere ordinare certe pozioni che indubitatamente fanno ingravidare?

CALLIMACO. Sì ho. Ma io vo rattenuto con li uomini che io non conosco, perché io non vorrei mi tenessino un cerretano.

NICIA. Non dubitate di me, perché voi mi avete fatto maravigliare di qualità che non è cosa che io non credessi o facessi per le vostre mane.

LIGURIO. Io credo che bisogni che voi veggiate el segno.[2]

CALLIMACO. Sanza dubio, e' non si può fare di meno.

LIGURIO. Chiama Siro, che vadia col dottore a casa per esso e torni qui, e noi l'aspettereno in casa.

CALLIMACO. Siro, va' con lui. E se vi pare, messer, tornate qui subito, e penseremo a qualche cosa di buono.

NICIA. Come, se mi pare? Io tornerò qui in uno stante, ché ho più fede in voi che gli ungheri nelle spade.[3]

SCENA III

Messer Nicia, Siro.

NICIA. Questo tuo padrone è un gran valente uomo.

SIRO. Più che voi non dite.

NICIA. El re di Francia ne de' fare conto.

SIRO. Assai.

NICIA. E per questa cagione e' debbe stare volentieri in Francia.

SIRO. Così credo.

---

1. *cerretano*: ciarlatano (di quei venditori d'erbe cui attribuivano virtù miracolose). 2. *Segno* o *segnale* si chiamava comunemente ciò che per la medicina medievale era il massimo dei segni diagnostici: l'orina. 3. Ha l'aria di un detto popolaresco, dal quale si dovrebbe arguire che gli Ungheresi avevan fama di gente pronta a ricorrere alla spada e a fidarsi solo in quella. «Altri vorrebbe leggere o correggere: *gli Ungheri nello Spano*: e si intenderebbe nel *bano*, governatore di Ungheri come di Slavi» (Flora). Ma l'ipotesi appare davvero un po' troppo arzigogolata.

NICIA. E fa moıto bene. In questa terra non ci è se non cacastecchi,[1] non ci s'apprezza virtù alcuna. S'egli stessi qua, non ci
sarebbe uomo che lo guardassi in viso. Io ne so ragionare, che ho
cacato le curatelle per imparare due hac:[2] e se io ne avessi a vivere, io starei fresco, ti so dire!
SIRO. Guadagnate voi l'anno cento ducati?
NICIA. Non cento lire, non cento grossi, oh va'! E questo è, che
chi non ha lo stato in questa terra, de' nostri pari, non truova
cane che gli abbai,[3] e non siamo buoni ad altro che andare a'
mortori o alle ragunate d'un mogliazzo o a starci tutto dì in sulla
panca del Proconsolo a donzellarci. Ma io ne li disgrazio, io non
ho bisogno di persona; così stessi chi sta peggio di me. Non vorrei però che le fussino mia parole,[4] che io arei di fatto qualche
balzello o qualche porro di drieto[5] che mi fare' sudare.
SIRO. Non dubitate.
NICIA. Noi siamo a casa: aspettami qui; io tornerò ora.
SIRO. Andate.

SCENA IV
Siro solo.

Se gli altri dottori fussino fatti come costui, noi faremmo a' sassi
pe' forni:[6] che sì che questo tristo di Ligurio e questo impazzato
di questo mio padrone lo conducono in qualche loco che gli faranno vergogna! E veramente io lo desiderrei, quando io credessi
che non si risapessi: perché risapendosi, io porto pericolo della
vita, el padrone della vita e della roba. Egli è già diventato medico;
non so io che disegno si fia el loro e dove si tenda questo loro
inganno. Ma ecco el dottore che ha un orinale in mano: chi non
riderebbe di questo uccellaccio?

1. *cacastecchi*: gente dappoco, d'animo misero. 2. È l'arguta grossolanità di cui Nicia tiene a far pompa nel linguaggio; come dicesse: io che ho
tanto sudato per mettermi in testa queste quattro formule latine! 3. Pare
voglia dire che in Firenze un avvocato che non sia legato in qualche
modo col governo (che *non abbia lo stato*) non trova pratiche. 4. *che
le fussino mia parole*: che queste parole circolassero come dette da me.
5. *arei di fatto . . .*: mi tirerei addosso qualche nuova tassa, o qualche
grosso fastidio (paragonabile a quello che può dare un «porro nel sedere»).
6. *a' sassi pe' forni*: delle gran sciocchezze; secondo la spiegazione che ne
dà lo stesso autore in una sua lettera al Guicciardini dell'autunno 1525
(«*Fare a' sassi pe' forni*, non vuol dire altro che fare una cosa da pazzi . . .»).

SCENA V

Messer Nicia, Siro.

NICIA. Io ho fatto d'ogni cosa a tuo modo: di questo vo' io che tu facci a mio. S'io credevo non avere figliuoli, io arei preso più tosto per moglie una contadina.[1] Che se' costì, Siro? Viemmi drieto. Quanta fatica ho io durata a fare che questa monna sciocca mi dia questo segno! E non è dire che la non abbi caro di fare figliuoli, ché la ne ha più pensiero di me, ma come io le vo' fare fare nulla, egli è una storia!

SIRO. Abbiate pazienzia: le donne si sogliono con le buone parole condurre dove altri vuole.

NICIA. Che buone parole! ché mi ha fracido.[2] Va' ratto, di' al maestro e a Ligurio che io son qui.

SIRO. Eccogli che vengon fuori.

SCENA VI

Ligurio, Callimaco, messer Nicia.

LIGURIO. El dottore fia facile a persuadere, la difficultà fia la donna, ed a questo non ci mancherà modo.[3]

CALLIMACO. Avete voi el segno?

NICIA. E' l'ha Siro, sotto.

CALLIMACO. Dàllo qua. Oh! questo segno mostra debilità di rene.

NICIA. Ei mi par torbidiccio, e pur l'ha fatto or ora.

CALLIMACO. Non ve ne maravigliate. *Nam mulieris urinae sunt semper maioris grossitiei et albedinis et minoris pulchritudinis quam virorum. Huius autem, in caetera, causa est amplitudo canalium, mixtio eorum quae ex matrice exeunt cum urina.*

NICIA. Oh, uh, potta di san Puccio! Costui mi raffinisce tra le mani;[4] guarda come ragiona bene di queste cose!

---

1. Queste parole di Nicia si devono intendere rivolte o meglio gridate alla moglie, mentre egli esce di casa.   2. *mi ha fracido*: noi diciamo oggi con metafora opposta, «mi ha seccato».   3. Ligurio continua, o meglio conclude il suo discorso con Callimaco, entrando con lui in scena dove già sta Nicia.   4. *mi raffinisce . . .*: mi si raffina, mi si rivela sempre più intelligente man mano che lo pratico.

CALLIMACO. Io ho paura che costei non sia, la notte, mal coperta, e per questo fa l'orina cruda.[1]

NICIA. Ella tien pur addosso un buon coltrone, ma la sta quattro ore ginocchioni a infilzar paternostri, innanzi che la se ne venghi al letto, ed è una bestia a patire freddo.

CALLIMACO. Infine, dottore, o voi avete fede in me o no, o io vi ho a insegnare un rimedio certo o no. Io, per me, el rimedio vi darò. Se voi arete fede in me voi lo piglierete, e se oggi a uno anno la vostra donna non ha un suo figliuolo in braccio, io voglio avervi a donare dumila ducati.

NICIA. Dite pure, ché io son per farvi onore di tutto e per credervi più che al mio confessoro.

CALLIMACO. Voi avete a intendere questo, che non è cosa più certa a ingravidare una donna che darli bere una pozione fatta di mandragola. Questa è una cosa esperimentata da me dua paia di volte e trovata sempre vera, e se non era questo, la reina di Francia sarebbe sterile, e infinite altre principesse di quello Stato.

NICIA. È egli possibile?

CALLIMACO. Egli è come io vi dico. E la fortuna vi ha in tanto voluto bene che io ho condotto qui meco tutte quelle cose che in quella pozione si mettono, e potete averle a vostra posta.

NICIA. Quando l'arebb'ella a pigliare?

CALLIMACO. Questa sera doppo cena, perché la luna è ben disposta e el tempo non può essere più appropriato.

NICIA. Cotesta non fia molto gran cosa. Ordinatela in ogni modo: io gliene farò pigliare.

CALLIMACO. E' bisogna ora pensare a questo: che quell'uomo che ha prima a fare seco, presa che l'ha cotesta pozione, muore infra otto giorni, e non lo camperebbe el mondo.[2]

NICIA. Cacasangue! io non voglio cotesta suzzacchera; a me non l'appiccherai tu! Voi mi avete concio bene!

CALLIMACO. State saldo, e' ci è remedio.

NICIA. Quale?

CALLIMACO. Fare dormire subito con lei un altro che tiri, standosi seco una notte, a sé, tutta quella infezione della mandragola. Dipoi vi iacerete voi sanza periculo.

1. In quel *mal coperta* c'è un doppio senso salace, di cui però Nicia non s'avvede, e ne nasce maggiore comicità alla sua spiegazione.　2. *non lo camperebbe el mondo*: il mondo intero non riuscirebbe a salvarlo.

NICIA. Io non vo' far cotesto.

CALLIMACO. Perché?

NICIA. Perché io non vo' far la mia donna femmina[1] e me becco.

CALLIMACO. Che dite voi, dottore? Oh, io non v'ho per savio come io credetti. Sì che voi dubitate di fare quello che ha fatto el re di Francia e tanti signori quanti sono là?

NICIA. Chi volete voi che io truovi che facci cotesta pazzia? Se io gliene dico, e' non vorrà; se io non gliene dico, io lo tradisco, ed è caso da Otto:[2] io non ci voglio capitare sotto male.

CALLIMACO. Se non vi dà briga altro che cotesto, lasciatene la cura a me.

NICIA. Come si farà?

CALLIMACO. Dirovelo: io vi darò la pozione questa sera dopo cena; voi gliene darete bere, e subito la metterete nel letto, che fieno circa a quattro ore di notte. Dipoi ci travestiremo, voi, Ligurio, Siro ed io, e andrencene cercando in Mercato Nuovo, in Mercato Vecchio, per questi canti: e il primo garzonaccio che noi troviamo scioperato, lo imbavaglieremo, e a suon di mazzate lo condurreno in casa e in camera vostra al buio. Quivi lo metterено nel letto, direngli quello che abbia a fare, né ci fia difficultà veruna. Dipoi, la mattina, ne manderete colui[3] innanzi dì, farete lavare la vostra donna, starete con lei a vostro piacere e sanza periculo.

NICIA. Io son contento, poi che tu di' che e re e principi e signori hanno tenuto questo modo; ma, sopra a tutto, che non si sappia, per amore degli Otto!

CALLIMACO. Chi volete voi che 'l dica?

NICIA. Una fatica ci resta, e d'importanza.

CALLIMACO. Quale?

NICIA. Farne contenta mogliama, a che io non credo che la si disponga mai.

CALLIMACO. Voi dite el vero. Ma io non vorrei innanzi essere marito, se io non la disponessi a fare a mio modo.

LIGURIO. Io ho pensato el rimedio.

NICIA. Come?

LIGURIO. Per via del confessoro.

---

1. *femmina*: (mala femmina) meretrice. 2. *caso da Otto*: (gli «Otto di giustizia») per dire, roba da tribunale criminale. 3. *ne manderete colui*: manderete a spasso l'uomo.

CALLIMACO. Chi disporrà el confessoro?

LIGURIO. Tu, io, e danari, la cattività nostra, loro.[1]

NICIA. Io dubito, non che altro, che per mie detto la non voglia ire a parlare al confessoro.

LIGURIO. E anche a cotesto è remedio.

CALLIMACO. Dimmi!

LIGURIO. Farvela condurre alla madre.

NICIA. La le presta fede.

LIGURIO. E io so che la madre è della opinione nostra. Orsù, avanziamo tempo, ché si fa sera. Vatti, Callimaco, a spasso, e fa' che alle dua ore noi ti troviamo in casa con la pozione ad ordine. Noi n'andreno a casa la madre, el dottore e io, a disporla, perché è mia nota.[2] Poi n'andremo al frate, e vi ragguaglieremo di quello che noi aren fatto.

CALLIMACO. Deh! non mi lasciare solo.

LIGURIO. Tu mi pari cotto.

CALLIMACO. Dove vuoi tu che io vadia ora?

LIGURIO. Di là, di qua, per questa via, per quell'altra; egli è sì grande Firenze!

CALLIMACO. Io son morto.[3]

CANZONE

dopo il secondo atto.

Quanto felice sia ciascun sel vede,
chi nasce sciocco ed ogni cosa crede!
Ambizione nol preme,
non lo muove il timore,
che sogliono esser seme
di noia e di dolore.
Questo vostro dottore,
bramando aver figlioli,
credria ch'un asin voli:
e qualunque altro ben posto ha in oblio,
e solo in questo ha posto il suo disio.

1. Cinica rapidità d'espressione ben degna dello stile machiavellico: la malizia (*cattività*) sua e di Callimaco, unita a quella *loro*, cioè dei frati di un certo tipo, e ai denari, saprà vincere il confessore.   2. *è mia nota*: mi è nota, è una mia conoscenza.   3. Le ultime battute sono dette in disparte, mentre gli altri si allontanano.

ATTO TERZO

SCENA I

Sostrata, messer Nicia, Ligurio.

SOSTRATA. Io ho sempre mai sentito dire che egli è uffizio d'un prudente pigliare de' cattivi partiti el migliore. Se ad avere figliuoli voi non avete altro rimedio, e questo si vuole pigliarlo, quando e' non si gravi la conscienzia.

NICIA. Egli è così.

LIGURIO. Voi ve ne andrete a trovare la vostra figliuola, e messere e io andreno a trovare fra' Timoteo suo confessoro, e narrerengli el caso, acciò che non abbiate a dirlo. Voi vedrete quello che vi dirà.

SOSTRATA. Così sarà fatto. La via vostra è di costà, e io vo a trovare la Lucrezia e la merrò[1] a parlare al frate ad ogni modo.

SCENA II

Messer Nicia, Ligurio.

NICIA. Tu ti maravigli forse, Ligurio, che bisogni fare tante storie a disporre mogliama;[2] ma se tu sapessi ogni cosa tu non te ne maraviglieresti.

LIGURIO. Io credo che sia perché tutte le donne son sospettose.

NICIA. Non è cotesto. Ell'era la più dolce persona del mondo e la più facile, ma sendole detto da una sua vicina che, s'ella si botava[3] di udire quaranta mattine la prima messa de' Servi che la impregnerebbe, la si botò e andovvi forse venti mattine. Ben sapete che un di que' fratacchioni li cominciò a 'ndare d'atorno, in modo che la non vi volse più tornare. Egli è pure male però, che quelli che ci arebbono a dare buoni essempli sien fatti così. Non dich'io el vero?[4]

LIGURIO. Come diavolo, se egli è vero!

NICIA. Da quel tempo in qua ella sta in orecchi come la lepre; e

---

1. *merrò*: menerò.   2. *a disporre mogliama*: s'intende, a recarsi dal confessore; non già a sottostare a quella singolare cura, di cui non le hanno ancora parlato.   3. *botava*: votava, faceva voto.   4. Anche Nicia, nella sua semplicità, conferma la corruzione dei frati di cui l'autore offrirà tra poco un così mirabile esempio.

come se le dice nulla, ella vi fa dentro mille difficultà.

LIGURIO. Io non mi maraviglio più, ma quel boto come si adempié?

NICIA. Fecesi dispensare.

LIGURIO. Sta bene. Ma datemi, se voi avete, venticinque ducati, ché bisogna in questi casi spendere e farsi amico el frate presto, e dargli speranza di meglio.

NICIA. Pigliali pure; questo non mi dà briga, io farò masserizia altrove.[1]

LIGURIO. Questi frati son trincati,[2] astuti; ed è ragionevole, perché e' sanno e peccati nostri e loro:[3] e chi non è pratico con essi potrebbe ingannarsi, e non gli sapere condurre a suo proposito. Pertanto io non vorrei che voi nel parlare guastassi ogni cosa, perché un vostro pari, che sta tutto il dì nello studio, s'intende di quelli libri, e delle cose del mondo non sa ragionare. (Costui è sì sciocco che io ho paura non guastassi ogni cosa.)

NICIA. Dimmi quello che tu vuoi che io faccia.

LIGURIO. Che voi lasciate parlare a me, e non parliate mai s'io non vi accenno.

NICIA. Io son contento. Che cenno farai tu?

LIGURIO. Chiuderò un occhio, morderommi el labbro. Deh, no! Facciàno altrimenti. Quanto è egli che voi non parlasti al frate?

NICIA. È più di dieci anni.

LIGURIO. Sta bene: io gli dirò che voi siate assordato, e voi non risponderete e non direte mai cosa alcuna se noi non parliamo forte.

NICIA. Così farò.

LIGURIO. Non vi dia briga che io dica qualche cosa che vi paia disforme a quello che noi vogliamo, perché tutto tornerà a proposito.

NICIA. In buona ora.

---

1. Cioè: avrò per altra via il mio compenso. 2. *trincati*: ben rifiniti e lisciati, cioè «smaliziati». 3. S'intende, per via della confessione; ed è una illazione davvero curiosa!

SCENA III

Frate Timoteo, una Donna.[1]

TIMOTEO. Se voi vi volessi confessare, io farò ciò che voi volete.

DONNA. Non per oggi: io sono aspettata; e' mi basta essermi sfogata un poco così ritta ritta. Avete voi dette quelle messe della Nostra Donna?

TIMOTEO. Madonna sì.

DONNA. Togliete ora questo fiorino, e direte dua mesi ogni lunedì la messa de' morti per l'anima del mio marito. E ancora che fussi uno omaccio, pure le carne tirono: io non posso fare non mi risenta quando io me ne ricordo. Ma credete voi che sia in purgatorio?

TIMOTEO. Sanza dubio!

DONNA. Io non so già, cotesto. Voi sapete pure quello che mi faceva qualche volta. Oh, quanto me ne dolsi io con esso voi! Io me ne discostavo quanto io potevo; ma egli era sì importuno! Uh, Nostro Signore!

TIMOTEO. Non dubitate, la clemenzia di Dio è grande; se non manca a l'uomo la voglia, non gli manca mai el tempo a pentirsi.

DONNA. Credete voi che 'l Turco passi questo anno in Italia?[2]

TIMOTEO. Se voi non fate orazione, sì.

DONNA. Naffe![3] Dio ci aiuti, con queste diavolerie! io ho una gran paura di quello impalare.[4] Ma io veggo qua in chiesa una donna che ha certa accia[5] di mio: io vo' ire a trovarla. Fate col buon dì!

TIMOTEO. Andate sana!

SCENA IV

Frate Timoteo, Ligurio, messer Nicia.

TIMOTEO. Le più caritative persone che sieno son le donne, e le più fastidiose. Chi le scaccia, fugge e fastidii e l'utile; chi le intrattiene, ha l'utile e' fastidii insieme. Ed è el vero che non è

---

1. È personaggio affatto episodico, ma serve ad ambientar subito lo spettatore.   2. Dopo la caduta di Costantinopoli, e specie dopo il tremendo saccheggio di Otranto (1480), la paura di qualche sbarco o invasione dei Turchi era abbastanza diffusa in Italia.   3. *Naffe!* o anche *Gnaffe* era corruzione popolare di « in mia fé ».   4. Allude al modo atrocemente barbarico onde si eseguì per secoli in Turchia la pena capitale.   5. *accia*: quantità di lino da filare, che la buona donnetta vuol farsi restituire.

el mele sanza le mosche. Che andate voi faccendo, uomini da bene? Non riconosco io messer Nicia?

LIGURIO. Dite forte, ché egli è in modo assordato che non ode più nulla.

TIMOTEO. Voi siate il ben venuto, messere!

LIGURIO. Più forte!

TIMOTEO. El ben venuto!

NICIA. El ben trovato, padre!

TIMOTEO. Che andate voi faccendo?

NICIA. Tutto bene.

LIGURIO. Volgete el parlare a me, padre, perché voi, a volere che vi intendessi, aresti a mettere a romore questa piazza.

TIMOTEO. Che volete voi da me?

LIGURIO. Qui messere Nicia e un altro uom da bene che voi intenderete poi, hanno a fare distribuire in limosine parecchi centinaia di ducati.

NICIA. Cacasangue!¹

LIGURIO. (Tacete in malora, e' non fien molti.) Non vi maravigliate, padre, di cosa che dica, ché non ode, e pargli qualche volta udire, e non risponde a proposito.

TIMOTEO. Séguita pure, e lasciali dire ciò che vuole.

LIGURIO. De' quali danari io ne ho una parte meco, ed hanno disegnato che voi siate quello che le distribuiate.

TIMOTEO. Molto volentieri.

LIGURIO. Ma egli è necessario, prima che questa limosina si faccia, che voi ci aiutate d'un caso strano intervenuto a messere: e solo voi potete aiutare, dove ne va al tutto l'onore di casa sua.

TIMOTEO. Che cosa è?

LIGURIO. Io non so se voi conoscesti Cammillo Calfucci, nipote qui di messere.

TIMOTEO. Sì, conosco.

LIGURIO. Costui n'andò per certe sua faccende uno anno fa in Francia, e non avendo donna, ché era morta, lasciò una sua figliuola da marito in serbanza in uno munistero, del quale non accade dirvi ora el nome.

TIMOTEO. Che è seguìto?

LIGURIO. È seguìto che o per straccurataggine delle monache o per

---

1. Nicia, sentendo parlare di così grosse somme, ha dimenticato di dover fare il sordo.

cervellinaggine della fanciulla, la si truova gravida di quattro mesi; di modo che, se non si ripara con prudenzia, el dottore, le monache, la fanciulla, Cammillo, la casa de' Calfucci è vituperata; e il dottore stima tanto questa vergogna che s'è botato, quando la non si palesi, dare trecento ducati per l'amore di Dio.

NICIA. Che chiacchiera![1]

LIGURIO. (State cheto.) E daragli per le vostre mane: e voi solo e la badessa ci potete rimediare.

TIMOTEO. Come?

LIGURIO. Persuadere alla badessa che dia una pozione alla fanciulla per farla sconciare.

TIMOTEO. Cotesta è cosa da pensarla.

LIGURIO. Guardate, nel fare questo, quanti beni ne resulta: voi mantenete l'onore al monistero, alla fanciulla, a' parenti, rendete al padre una figliuola, satisfate qui a messere, a tanti sua parenti, fate tante elemosine quante con questi trecento ducati potete fare; e dall'altro canto voi non offendete altro che un pezzo di carne non nata, sanza senso, che in mille modi si può sperdere; e io credo che quello sia bene che facci bene ai più e che e più se ne contentino.

TIMOTEO. Sia col nome di Dio. Faccisi ciò che volete, e per Dio e per carità sia fatto ogni cosa. Ditemi el munistero, datemi la pozione, e, se vi pare, cotesti danari, da potere cominciare a fare qualche bene.

LIGURIO. Or mi parete voi quello religioso che io credevo che voi fussi. Togliete questa parte de' danari. El munistero è . . . Ma aspettate, egli è qua in chiesa una donna che m'accenna: io torno ora ora, non vi partite da messer Nicia, io le vo' dire dua parole.

---

1. C'è la variante: *Che giacchera*, «storiella, invenzione burlesca». E in questo caso, in omaggio al principio della «lectio difficilior», potremmo credere che il M. abbia scritto veramente così.

SCENA V

Frate Timoteo, messer Nicia.

TIMOTEO. Questa fanciulla che tempo ha?

NICIA. Io strabilio.[1]

TIMOTEO. Dico, quanto tempo ha questa fanciulla?

NICIA. Mal che Dio li dia!

TIMOTEO. Perché?

NICIA. Perché e' se lo abbia!

TIMOTEO. E' mi par essere nel gagno.[2] Io ho a fare cor un pazzo e cor un sordo. L'un si fugge, l'altro non ode. Ma se questi non sono quarteruoli, io ne farò meglio di loro![3] Ecco Ligurio che torna in qua.

SCENA VI

Ligurio, frate Timoteo, messer Nicia.

LIGURIO. State cheto, messere. Oh, io ho la gran nuova, padre!

TIMOTEO. Quale?

LIGURIO. Quella donna con chi io ho parlato, mi ha detto che quella fanciulla si è sconcia per sé stessa.

TIMOTEO. Bene, questa limosina andrà alla Grascia.[4]

LIGURIO. Che dite voi?

TIMOTEO. Dico che voi tanto più doverrete fare questa limosina.

LIGURIO. La limosina si farà, quando voi vogliate, ma e' bisogna che voi facciate un'altra cosa in benefizio qui del dottore.

TIMOTEO. Che cosa è?

LIGURIO. Cosa di minore carico, di minore scandolo, più accetta a noi, più utile a voi.

TIMOTEO. Che è? Io son in termine con voi, e parmi avere

1. Nicia non riesce a capire a che scopo Ligurio abbia inventato quella storia: di qui la comicità, facile ma sicura, della breve scenetta.   2. *nel gagno*: nei pasticci (*gagno* era propriamente ricovero e, in senso spregiativo, tana, giaciglio di bestie, onde la locuzione parrebbe equivalesse qui a « nel brago »).   3. Cita, a quanto pare, un motto divenuto proverbiale; per dire che se vogliono fare i furbi con lui, saprà imitarli benissimo. 4. *Grascia* si chiamava popolarmente la magistratura delle gabelle. Ma qui Timoteo adopera la frase per dire che la limosina la dovrà incassare pur sempre lui; così oggi si usa dire scherzosamente « questo va a benefficio dello Stato ».

contratta tale dimestichezza che non è cosa che io non facessi.
LIGURIO. Io ve lo vo' dire in chiesa, da me e voi, e el dottore
fia contento di aspettare qui. Noi torniamo ora.
NICIA. Come disse la botta all'erpice![1]
TIMOTEO. Andiamo.

SCENA VII
Messer Nicia solo

È egli di dì o di notte? son io desto o sogno? son io imbriaco, e non
ho beuto ancora oggi, per ire drieto a queste chiacchiere? Noi
rimanghiam di dire al frate una cosa, e' ne dice un'altra; poi
volle che io facessi el sordo, e bisognava che io m'impeciassi gli
orecchi come el Danese,[2] a volere che io non avessi udito le pazzie
che egli ha dette, e Dio el sa a che proposito! Io mi truovo meno
venticinque ducati, e del fatto mio non s'è ancora ragionato, e ora
m'hanno qui posto come un zugo a piuolo.[3] Ma eccogli che tor-
nano; in malora per loro, se non hanno ragionato del fatto mio!

SCENA VIII
Frate Timoteo, Ligurio, messer Nicia.

TIMOTEO. Fate che le donne venghino. Io so quello che io ho a
fare, e se l'autorità mia varrà, noi concludereno questo parentado
questa sera.
LIGURIO. Messer Nicia, fra' Timoteo è per fare ogni cosa. Bi-
sogna vedere che le donne venghino.
NICIA. Tu mi ricrei tutto quanto. Fia egli maschio?[4]
LIGURIO. Maschio.
NICIA. Io lacrimo per la tenerezza.
TIMOTEO. Andatevene in chiesa, io aspetterò qui le donne. State

1. Detto scherzoso, non molto a proposito, come quelli che piacciono a
messer Nicia. Il M. ne spiega l'origine e il senso nella lettera al Guicciardini già citata. (*Botta*, è il rospo, cui nella storiella ivi ricordata accadde
di sentirsi graffiar la schiena dall'erpice.)   2. *el Danese*: allusione a una
delle avventure di Uggieri il Danese, popolare personaggio dei romanzi
cavallereschi.   3. Cioè, a far da palo.   4. La «buaggine» di Nicia lo spin-
ge a credere che quel miracoloso dottor Callimaco gli possa già dire sen-
z'altro il sesso del nascituro!

in lato che le non vi vegghino, e partite che le fieno, vi dirò quello
che l'hanno detto

SCENA IX
Frate Timoteo solo.

Io non so chi s'abbi giuntato l'un l'altro.[1] Questo tristo di Ligurio ne venne a me con quella prima novella per tentarmi, acciò
se io non gliene consentivo non mi arebbe detta questa, per non
palesare e disegni loro sanza utile, e di quella che era falsa non
si curavono. Egli è vero che io ci sono stato giuntato; nondimeno
questo giunto è con mio utile. Messer Nicia e Callimaco son
ricchi, e da ciascuno per diversi rispetti sono per trarre assai; la
cosa conviene che stia secreta,[2] perché l'importa così a loro a dirla
come a me. Sia come si voglia, io non me ne pento. È ben vero
che io dubito non ci avere difficultà, perché madonna Lucrezia è
savia e buona; ma io la giugnerò in sulla bontà.[3] E tutte le donne
hanno poco cervello; e come n'è una che sappi dire dua parole,
e' se ne predica, perché in terra di ciechi chi v'ha un occhio è signore. Ed eccola con la madre, la quale è bene una bestia, e sa-
rammi un grande aiuto a condurla alle mia voglie.

SCENA X
Sostrata, Lucrezia.

SOSTRATA. Io credo che tu creda, figliuola mia, che io stimi l'onore
tuo quanto persona del mondo, e che io non ti consigliassi[4] di
cosa che non stessi bene. Io t'ho detto e ridicoti che, se fra' Timoteo ti dice che non ci sia carico di conscienzia, che tu lo faccia
senza pensarvi.
LUCREZIA. Io ho sempre mai dubitato che la voglia che messere
Nicia ha d'avere figliuoli non ci faccia fare qualche errore: e per
questo, sempre che lui mi ha parlato d'alcuna cosa, io ne sono

1. *chi s'abbi giuntato l'un l'altro*: chi dei due abbia truffato l'altro.   2. *con-*
viene . . .: è naturale che resti segreta.   3. Proprio la *bontà* della donna
gli fornirà il punto d'appoggio per accalappiarla (*giugnere*: raggiungere,
quindi cogliere, prendere al laccio).   4. *consigliassi*: consiglierei.

stata in gelosia[1] e sospesa, massime poi che m'intervenne quello
voi sapete, per andare a' Servi. Ma di tutte le cose che si son
tentate, questa mi pare la più strana, di avere a sottomettere el
corpo mio a questo vituperio, ad essere cagione che un uomo
muoia per vituperarmi; ché io non crederrei, se io fussi sola rimasa
nel mondo e da me avessi a resurgere l'umana natura, che mi
fussi simile partito concesso.

SOSTRATA. Io non ti so dire tante cose, figliuola mia. Tu par-
lerai al frate, vedrai quello che ti dirà, e farai quello che tu dipoi
sarai consigliata da lui, da noi e da chi ti vuole bene.

LUCREZIA. Io sudo per la passione.

SCENA XI

Frate Timoteo, Lucrezia, Sostrata.

TIMOTEO. Voi siate le ben venute! Io so quello che voi volete
intendere da me, perché messer Nicia mi ha parlato. Veramente
io son stato in su' libri più di dua ore a studiare questo caso, e dopo
molte esamine io truovo di molte cose che e in particulare e in
generale fanno per noi.

LUCREZIA. Parlate voi da vero o motteggiate?[2]

TIMOTEO. Ah, madonna Lucrezia! son queste cose da motteggiare?
Avetemi voi a conoscere ora?

LUCREZIA. Padre, no; ma questa mi pare la più strana cosa che
mai si udissi.

TIMOTEO. Madonna, io ve lo credo, ma io non voglio che voi
diciate più così. E' sono molte cose che discosto paiano terribile,
insopportabile, strane, e quando tu ti appressi loro, le riescono
umane, sopportabile, dimestiche; e però si dice che sono maggiori li spaventi ch'e mali: e questa è una di quelle.

LUCREZIA. Dio el voglia!

TIMOTEO. Io voglio tornare a quello che io dicevo prima. Voi
avete, quanto alla conscienza, a pigliare questa generalità, che dove
è un bene certo e un male incerto non si debbe mai lasciare quel
bene per paura di quel male. Qui è un bene certo, che voi ingra-

---

1. *in gelosia*: in sospetto. 2. *motteggiate*: volete scherzare. Nella sua naturale onestà, Lucrezia è ardita; ma semplice e ignorante com'è, sarà irre-
tita dai sofismi del frate.

viderete, acquisterete una anima a messer Domenedio: el male
incerto è che colui che iacerà doppo la pozione con voi, si muoia:
ma e' si truova anche di quelli che non muoiono. Ma perché la
cosa è dubia, però è bene che messer Nicia non corra quel periculo. Quanto all'atto, che sia peccato, questo è una favola, perché
la volontà è quella che pecca, non el corpo; e la cagione del peccato è dispiacere al marito, e voi li compiacete; pigliarne piacere,
e voi ne avete dispiacere. Oltra di questo, el fine si ha a riguardare
in tutte le cose: el fine vostro si è riempiere una sedia in paradiso, contentare el marito vostro. Dice la Bibbia che le figliuole
di Lotto, credendosi essere rimase sole nel mondo, usorno con el
padre; e, perché la loro intenzione fu buona, non peccorno.

LUCREZIA. Che cosa mi persuadete voi?

SOSTRATA. Làsciati persuadere, figliuola mia. Non vedi tu che una
donna che non ha figliuoli non ha casa? Muorsi el marito, resta
com'una bestia, abandonata da ognuno.

TIMOTEO. Io vi giuro, madonna, per questo petto sacrato,[1] che
tanta consciezia vi è ottemperare in questo caso al marito vostro,
quanto vi è mangiare carne el mercoledì, che è un peccato che se
ne va con l'acqua benedetta.

LUCREZIA. A che mi conducete voi, padre?

TIMOTEO. Conducovi a cose che voi sempre arete cagione di pre-
garè Dio per me, e più vi satisferà questo altro anno[2] che ora.

SOSTRATA. Ella farà ciò che voi vorrete. Io la voglio mettere stasera al letto io. Di che hai tu paura, moccicona? E' c'è cinquanta
donne in questa terra, che ne alzerebbono le mani al cielo.[3]

LUCREZIA. Io son contenta, ma non credo mai essere viva domattina.

TIMOTEO. Non dubitare, figliuola mia: io pregherrò Dio per te,
io dirò l'orazione dell'agnol Raffaello che t'accompagni. Andate
in buona ora, e preparatevi a questo misterio, ché si fa sera.

SOSTRATA. Rimanete in pace, padre.

LUCREZIA. Dio m'aiuti e la Nostra Donna, che io non càpiti male!

---

1. Fra' Timoteo arriva a giurare per il suo cuore «consacrato» a Dio!
Ma anziché perversione estrema, sembra piuttosto una nota di ingenuità.
2. *questo altro anno*: quando avrà la consolazione di avere un figlio.
3. Per ringraziare di tanta fortuna!

SCENA XII

Frate Timoteo, Ligurio, messer Nicia.

TIMOTEO. O Ligurio, uscite qua!

LIGURIO. Come va?

TIMOTEO. Bene. Le sono ite a casa disposte a fare ogni cosa, e non ci fia difficultà, perché la madre si andrà a stare seco e vuolla mettere a letto lei.

NICIA. Dite voi el vero?

TIMOTEO. Bembè, voi siete guarito del sordo!

LIGURIO. San Chimenti[1] gli ha fatto grazia.

TIMOTEO. E' si vuol porvi una imagine per rizzarvi un poco di baccanella, acciò che io abbi fatto questo guadagno con voi.[2]

NICIA. Noi entriamo in cetere.[3] Farà la donna difficultà di fare quel che io voglio?

TIMOTEO. Non, vi dico.

NICIA. Io sono el più contento uomo del mondo.

TIMOTEO. Credolo. Voi vi beccherete un fanciullo maschio, e chi non ha non abbia!

LIGURIO. Andate, frate, alle vostre orazioni, e se bisognerà altro, vi verreno a trovare. Voi, messere, andate a lei per tenerla ferma in questa opinione, e io andrò a trovare maestro Callimaco che vi mandi la pozione; e all'una ora fate che io vi rivegga, per ordinare quello che si de' fare alle quattro.

NICIA. Tu di' bene; addio!

TIMOTEO. Andate sani!

CANZONE

dopo il terzo atto.

Sì suave è l'inganno
al fin condotto imaginato e caro
ch'altrui spoglia d'affanno
e dolce face ogni gustato amaro.

---

1. *Chimenti*: dialettale per Clemente.   2. Fra' Timoteo pensa subito alla possibilità di sfruttare la pretesa grazia, come un miracolo a dar maggior lustro alla sua chiesa.   3. *in cetere*: (lat.) in altri argomenti. Come a dire: ma noi divaghiamo . . .

O rimedio alto e raro,
tu mostri il dritto calle all'alme erranti;
tu, col tuo gran valore,
nel far beato altrui fai ricco, Amore:
tu vinci, sol co' tuoi consigli santi,
pietre, veneni e incanti.

ATTO QUARTO

SCENA I
Callimaco solo.

Io vorrei pure intendere quello che costoro hanno fatto. Può egli
essere che io non rivegga Ligurio? E non che le ventitré, le sono
ventiquattro ore! In quanta angustia d'animo sono io stato e sto!
Ed è vero che la fortuna e la natura tiene el conto per bilancio;
la non ti fa mai un bene che all'incontro non surga un male.
Quanto più mi è cresciuto la speranza, tanto mi è cresciuto el timore. Misero a me! Sarà egli mai possibile che io viva in tanti
affanni e perturbato da questi timori e queste speranze? Io sono
una nave vessata da dua diversi venti, che tanto più teme quanto
ella è più presso al porto. La semplicità di messere Nicia mi fa
sperare, la providenzia[1] e durezza di Lucrezia mi fa temere. Oimè,
che io non truovo requie in alcuno loco! Talvolta io cerco di vincere me stesso, riprendomi di questo mio furore, e dico meco:
— Che fai tu? se' tu impazzato? quando tu l'ottenga, che fia?
Conoscerai el tuo errore, pentira'ti delle fatiche e de' pensieri che
hai avuti. Non sai tu quanto poco bene si truova nelle cose che
l'uomo desidera, rispetto a quelle che l'uomo ha presupposte trovarvi? Da l'altro canto:[2] el peggio che te ne va è morire e andarne in
inferno; e' son morti tanti degli altri! e sono in inferno tanti uomini da bene! Ha'ti tu a vergognare d'andarvi tu? Volgi el viso
alla sorte; fuggi el male, e non lo potendo fuggire sopportalo come
uomo; non ti prosternere, non ti invilire come una donna. —
E così mi fo di buon cuore, ma io ci sto poco su, perché da ogni
parte mi assalta tanto desio d'essere una volta con costei che io
mi sento, dalle piante de' piè al capo, tutto alterare: le gambe trie-
mono, le viscere si commuovono, il core mi si sbarba del petto,
le braccia s'abandonano, la lingua diventa muta, gli occhi abbar-
bagliono, el cervello mi gira. Pure, se io trovassi Ligurio io arei
con chi sfogarmi. Ma ecco che viene verso me, ratto. El rapporto
di costui mi farà o vivere ancor qualche poco o morire affatto

---

1. *providenzia*: saviezza.   2. È qui sottinteso: « mi vado dicendo che . . ›

SCENA II

Ligurio, Callimaco.

LIGURIO. Io non desiderai mai più tanto di trovare Callimaco, e non penai mai più tanto a trovarlo. Se io li portassi triste nuove, io l'arei riscontro al primo. Io sono stato a casa, in Piazza, in Mercato, al Pancone delli Spini, alla Loggia de' Tornaquinci, e non l'ho trovato. Questi innamorati hanno l'ariento vivo sotto piedi, e' non si possono fermare.

CALLIMACO. Che sto io, che io non lo chiamo? E' mi pare pure allegro: Oh, Ligurio! Ligurio!

LIGURIO. O Callimaco, dove sei tu stato?

CALLIMACO. Che novelle?

LIGURIO. Buone.

CALLIMACO. Buone in verità?

LIGURIO. Ottime.

CALLIMACO. È Lucrezia contenta?

LIGURIO. Sì.

CALLIMACO. Il frate fece el bisogno?

LIGURIO. Fece.

CALLIMACO. Oh benedetto frate! Io pregherrò sempre Dio per lui.

LIGURIO. Oh buono! Come se Dio facessi le grazie del male come del bene! El frate vorrà altro che preghi!

CALLIMACO. Che vorrà?

LIGURIO. Danari!

CALLIMACO. Darengliene. Quanti ne gli hai promessi?

LIGURIO. Trecento ducati.

CALLIMACO. Hai fatto bene.

LIGURIO. El dottore n'ha sborsati venticinque.

CALLIMACO. Come?[1]

LIGURIO. Bastiti che gli ha sborsati.

CALLIMACO. La madre di Lucrezia che ha fatto?

LIGURIO. Quasi el tutto. Come la 'ntese che la sua figliuola avev' a avere questa buona notte sanza peccato, la non restò mai di pregare, comandare, confortare la Lucrezia, tanto che la la condusse al frate, e quivi operò in modo che l'acconsentì.

1. Sembra strano, a Callimaco, che Nicia stesso abbia pagato il frate per aiutarlo nel suo inganno.

CALLIMACO. Oh Dio! Per quali mia meriti debbo io avere tanti
beni? Io ho a morire per l'allegrezza.

LIGURIO. Che gente è questa? Or per l'allegrezza, or pel dolore,
costui vuol morire in ogni modo. Hai tu ad ordine la pozione?

CALLIMACO. Sì, ho.

LIGURIO. Che li manderai?

CALLIMACO. Un bicchiere di hypocràs, che è a proposito a racconciare lo stomaco, rallegra el cervello. Ahimè, ohimè, ohimè, io
sono spacciato!

LIGURIO. Che è? Che sarà?

CALLIMACO. E' non ci è rimedio.

LIGURIO. Che diavol fia?

CALLIMACO. E' non si è fatto nulla, io mi sono mutato in uno
forno.

LIGURIO. Perché? Ché non lo di'? Lèvati le man' dal viso.

CALLIMACO. O non sai tu che io ho detto a messere Nicia che tu,
lui, Siro e io pigliereno uno per metterlo allato alla moglie?

LIGURIO. Che importa?

CALLIMACO. Come, che importa? Se io son con voi, non potrò
essere quello che sia preso; se io non sono, e' si avedrà dell'inganno.

LIGURIO. Tu di' el vero, ma non ci è egli remedio?

CALLIMACO. Non, credo io.

LIGURIO. Sì, sarà bene.

CALLIMACO. Quale?

LIGURIO. Io voglio un poco pensallo.

CALLIMACO. Tu mi hai chiaro:[1] io sto fresco se tu l'hai a pensare
ora!

LIGURIO. Io l'ho trovato.

CALLIMACO. Che cosa?

LIGURIO. Farò che 'l frate, che ci ha aiutato infino a qui, farà
questo resto.

CALLIMACO. In che modo?

LIGURIO. Noi abbiamo tutti a travestirci. Io farò travestire el frate:
contrafarà la voce, el viso, l'abito; e dirò al dottore che tu sia
quello; e' sel crederà.

CALLIMACO. Piacemi, ma io che farò?

---

1. Ironico: «Ho bell'e capito».

LIGURIO. Fo conto che tu ti metta un pitocchino[1] indosso, e con un liuto in mano te ne venga, costì dal canto della sua casa, cantando un canzoncino.

CALLIMACO. A viso scoperto?

LIGURIO. Sì, ché, se tu portassi una maschera, e' gli enterrebbe 'n sospetto.

CALLIMACO. E' mi conoscerà.

LIGURIO. Non farà: perché io voglio che tu ti storca el viso, che tu apra, aguzzi o digrigni la bocca, chiugga un occhio. Pruova un poco.

CALLIMACO. Fo io così?

LIGURIO. No.

CALLIMACO. Così?

LIGURIO. Non basta.

CALLIMACO. A questo modo?

LIGURIO. Sì, sì, tieni a mente cotesto: io ho un naso[2] in casa; io vo' che tu te l'apicchi.

CALLIMACO. Orbè, che sarà poi?

LIGURIO. Come tu sarai comparso in sul canto, noi saren quivi, tòrrenti el liuto, piglierenti, aggirerenti, condurrenti in casa, metterenti a letto. E 'l resto doverrai tu fare da te!

CALLIMACO. Fatto sta condursi!

LIGURIO. Qui ti condurrai tu; ma a fare che tu vi possa ritornare sta a te e non a noi.

CALLIMACO. Come?

LIGURIO. Che tu te la guadagni in questa notte e che, inanzi che tu ti parta te le dia a conoscere, scuoprale lo inganno, mostrile l'amore le porti, dicale il bene le vuoi; e come sanza sua infamia la può essere tua amica, e con sua grande infamia tua nimica. È impossibile che la non convenghi teco e che la[3] voglia che questa notte sia sola.

CALLIMACO. Credi tu cotesto?[4]

LIGURIO. Io ne son certo. Ma non perdiam più tempo: e' son già dua ore. Chiama Siro, manda la pozione a messer Nicia, e me aspetta in casa. Io andrò per el frate, farollo travestire e condurrenlo qui e troverreno el dottore e fareno quel manca.

CALLIMACO. Tu di' ben! Va' via.

1. *pitocchino*: mantelletto corto.   2. *un naso*: un naso finto, come quelli che s'usano in carnevale.   3. *la*: ella, Lucrezia.   4. Nell'ansia, l'ardimentoso Callimaco ha persa ogni fiducia in sé; ma tosto la ritrova.

SCENA III

Callimaco, Siro.

CALLIMACO. O Siro!

SIRO. Messere!

CALLIMACO. Fatti costì.

SIRO. Eccomi.

CALLIMACO. Piglia quello bicchiere d'argento che è drento allo armario di camera e, coperto con un poco di drappo, portamelo, e guarda a non lo versare per la via.

SIRO. Sarà fatto.

CALLIMACO. Costui è stato dieci anni meco, e sempre mi ha servito fedelmente. Io credo trovare anche in questo caso fede in lui; e benché io non gli abbi communicato questo inganno, e' se lo indovina, che gli è cattivo bene, e veggo che si va accomodando.[1]

SIRO. Eccolo.

CALLIMACO. Sta bene. Tira, va' a casa messere Nicia e digli che questa è la medicina che ha a pigliare la donna doppo cena subito; e quanto prima cena, tanto sarà meglio; e come noi sareno in sul canto ad ordine, al tempo e' facci d'esservi. Va' ratto.

SIRO. I' vo.

CALLIMACO. Odi qua. Se vuole che tu l'aspetti, aspettalo e vientene quivi con lui; se non vuole, torna qui da me, dato che tu glien'hai e fatto che tu gli arai l'ambasciata.

SIRO. Messere sì.

SCENA IV

Callimaco solo.

Io aspetto che Ligurio torni col frate, e chi dice che egli è dura cosa l'aspettare dice el vero. Io scemo[2] ad ogni ora dieci libbre, pensando dove io sono ora e dove io potrei essere di qui a dua ore, temendo che non nasca qualche cosa che interrompa el mio disegno. Che se fussi, e' fia l'ultima notte della vita mia, perché o io

---

1. Callimaco, ragionando fra sé, pensa che, se il servo indovinerà da solo l'inganno (come sembra sulla strada di fare), sarà un segno che è anche lui ben malizioso. 2. *scemo*: calo di peso, dimagro.

mi gitterò in Arno o io mi appiccherò o io mi gitterò da quelle
finestre o io mi darò d'un coltello in sullo uscio suo. Qualche
cosa farò io perché io non viva più. Ma io veggo Ligurio? Egli
è desso, egli ha seco uno che pare scrignuto, zoppo; e' fia certo
el frate travestito. Oh frati! Conoscine uno e conoscigli tutti. Chi
è quell'altro che si è accostato a loro? E' mi pare Siro, che arà di
già fatto l'ambasciata al dottore; egli è esso. Io gli voglio aspettare
qui per convenire con loro.

SCENA V

Siro, Ligurio, Frate travestito, Callimaco.

SIRO. Chi è teco, Ligurio?

LIGURIO. Uno uom da bene.

SIRO. È egli zoppo o fa le vista?

LIGURIO. Bada a altro!

SIRO. Oh! gli ha el viso del gran ribaldo![1]

LIGURIO. Deh, sta' cheto, ché ci hai fracido! Ov'è Callimaco?

CALLIMACO. Io son qui. Voi siete e ben venuti!

LIGURIO. O Callimaco, avvertisci questo pazzerello di Siro; egli
ha detto già mille pazzie.

CALLIMACO. Siro, odi qua: tu hai questa sera a fare tutto quello
che ti dirà Ligurio, e fa' conto, quando e' ti comanda, che sia io;
e ciò che tu vedi, senti o odi, hai a tenere secretissimo, per quanto
tu stimi la roba, l'onore, la vita mia e il ben tuo.

SIRO. Così si farà.

CALLIMACO. Desti tu el bicchiere al dottore?[2]

SIRO. Messere sì.

CALLIMACO. Che disse?

SIRO. Che sarà ora ad ordine di tutto.

TIMOTEO. È questo Callimaco?

CALLIMACO. Sono, a' comandi vostri. Le proferte tra noi sien
fatte; voi avete a disporre di me e di tutte le fortune mia come
di voi.

TIMOTEO. Io l'ho inteso e credolo e sommi messo a fare quello
per te che io non arei fatto per uomo del mondo.

---

1. Siro, fingendo di non aver capito la macchinazione cui deve dar mano
anche lui, si diverte a schernire fra' Timoteo travestito. 2. *al dottore*:
a Nicia; s'intende il bicchiere con la pozione miracolosa.

CALLIMACO. Voi non perderete la fatica.

TIMOTEO. E' basta che tu mi voglia bene.

LIGURIO. Lasciamo stare le cerimonie. Noi andreno a travestirci, Siro e io. Tu, Callimaco, vien' con noi per potere ire a fare e fatti tua. El frate ci aspetterà qui, noi tornereno subito e andreno a trovare messere Nicia.

CALLIMACO. Tu di' bene: andiano.

TIMOTEO. Vi aspetto.

SCENA VI

Frate solo travestito.

E' dicono el vero quelli che dicono che le cattive compagnie conducono gli uomini alle forche, e molte volte uno càpita male, così per essere troppo facile e troppo buono, come per essere troppo tristo. Dio sa che io non pensavo ad iniurare persona, stavomi nella mia cella, dicevo el mio ufizio, intrattenevo e mia devoti; capitommi inanzi questo diavolo di Ligurio, che mi fece intignere el dito in uno errore, donde io vi ho messo el braccio e tutta la persona, e non so ancora dove io m'abbia a capitare. Pure mi conforto che quando una cosa importa a molti, molti ne hanno a avere cura. Ma ecco Ligurio e quel servo che tornono.

SCENA VII

Frate Timoteo, Ligurio, Siro.

TIMOTEO. Voi siate e ben tornati!

LIGURIO. Stian noi bene?[1]

TIMOTEO. Benissimo.

LIGURIO. E' ci manca el dottore. Andian verso casa sua; e' son più di tre ore, andian via!

SIRO. Chi apre l'uscio suo? È egli el famiglio?

LIGURIO. No: gli è lui. Ah, ah, ah, eh!

SIRO. Tu ridi?

LIGURIO. Chi non riderebbe? Egli ha un guarnacchino indosso che non gli cuopre el culo. Che diavolo ha egli in capo? E' mi pare un

1. *Stian noi bene?*: siamo a posto?

di questi gufi de' canonici, e uno spadaccino sotto: ah, ah! e'
borbotta non so che. Tirianci da parte e udireno qualche sciagura
della moglie.

SCENA VIII

Messer Nicia travestito.

Quanti lezii¹ ha fatti questa mia pazza! Ell'ha mandato le fante
a casa la madre, e 'l famiglio in villa. Di questo io la laudo.² Ma
io non la lodo già che, inanzi che la ne sia voluta ire al letto,
ell'abbi fatto tante schifiltà: — Io non voglio! . . . Come farò io? . . .
Che mi fate voi fare? . . . Oh me! mamma mia! . . . — E se non
che la madre le disse il padre del porro,³ la non entrava in quel
letto. Che le venga la contina!⁴ Io vorrei ben vedere le donne
schizzinose, ma non tanto; ché ci ha tolta la testa, cervello di
gatta! Poi chi dicessi: — Impiccata sia la più savia donna di
Firenze! — la direbbe: — Che t'ho io fatto?⁵ — Io so che la Pa-
squina enterrà in Arezzo,⁶ e inanzi che io mi parta da giuco io
potrò dire come monna Ghinga: — Di veduta, con queste mane. —⁷
Io sto pur bene!⁸ Chi mi conoscerebbe? Io paio maggiore, più
giovane, più scarzo;⁹ e non sarebbe donna che mi togliessi danari
di letto.¹⁰ Ma dove troverrò io costoro?

SCENA IX

Ligurio, messer Nicia, Frate travestito, Siro.

LIGURIO. Buona sera, messere!
NICIA. Oh, eh, eh!
LIGURIO. Non abbiate paura, no' siàn noi.

1. *lezii*: leziosaggini. 2. Perché serve a tener segreta la cosa. 3. Modo
proverbiale, a significare: gliene disse tante, da renderla persuasa d'ogni
più assurda cosa. 4. *la contina*: la febbre continua. 5. Cioè: chi, seccato, la mandasse al diavolo, lei si meraviglierebbe ancora. 6. Scherzo
volgare, per alludere a quello che dovrà accadere fra il giovane che debbono catturare e sua moglie. 7. *Di veduta* . . . Evidentemente Nicia si
riferisce a una storiella salace che doveva circolare allora, nella quale
quella Monna Ghinga, a chi le chiedeva se avesse proprio visto una certa
cosa rispondeva: « Se l'ho vista? con queste mani! » E vuol dire che non
mollerà il giovane, prima di essersi assicurato, con le sue mani, che la
faccenda va come deve andare. 8. Ora, nel soliloquio, passa a considerare il suo travestimento. 9. *più scarzo*: più magro, snello. 10. Cioè
che gli chiedesse denari per andare a letto con lui, vedendolo così bello.

Nicia. Oh! voi siete tutti qui! Se io non vi conoscevo presto, io vi davo con questo stocco el più diritto che io sapevo! Tu se' Ligurio? e tu Siro? e quello altro el maestro? ah!

Ligurio. Messere sì.

Nicia. Togli. Oh! s'è contraffatto bene, e non lo conoscerebbe Va'-qua-tu![1]

Ligurio. Io gli ho fatto mettere dua noce in bocca, perché non sia conosciuto alla voce.

Nicia. Tu se' ignorante.

Ligurio. Perché?

Nicia. Che non me 'l dicevi tu prima? Ed are'mene messo anche io dua, e sai se li importa non essere conosciuto alla favella!

Ligurio. Togliete, mettevi in bocca questo.

Nicia. Che è ella?

Ligurio. Una palla di cera.

Nicia. Dalla qua... ca, pu, ca, co, co, cu, cu, spu... Che ti venga la seccaggine, pezzo di manigoldo![2]

Ligurio. Perdonatemi, che io ve ne ho data una in scambio, che io non me ne sono avveduto.

Nicia. Ca, ca, pu, pu... Di che, che, che, era?

Ligurio. D'aloe.

Nicia. Sia in malora! spu, spu... Maestro, voi non dite nulla?

Timoteo. Ligurio mi ha fatto adirare.

Nicia. Oh! Voi contrafate ben la voce.

Ligurio. Non perdiam più tempo qui. Io voglio essere el capitano, e ordinare l'esercito per la giornata. Al destro corno sia preposto Callimaco, al sinistro io, intra le due corna[3] starà qui el dottore, Siro fia retroguardo per dare sussidio a quella banda che inclinassi. El nome sia San Cucù.

Nicia. Chi è San Cucù?

Ligurio. È el più onorato santo che sia in Francia.[4] Andiàn via,

---

1. *Va'-qua-tu* era il soprannome d'un famoso carceriere di Firenze (come si ricava dalla *Novella del Grasso legnaiuolo*), che doveva conoscere bene tutti i mariuoli della città. 2. Nicia non può resistere a tenere in bocca la pallottola di Ligurio, che, come si chiarisce subito, gli ha giocato una beffa crudele. 3. *intra le due corna*: fra le due ali della compagnia, schierata come un piccolo esercito. Ma c'è anche il volgare bisenso. 4. Altro grossolano equivoco; giacché, come è noto, *cocu* in francese significa cornuto. Man mano che ci si avvicina allo scioglimento, la commedia, che più si approfondisce interiormente, assume toni esteriori d'una comicità sempre più violenta e chiassosa.

mettiàn l'aguato a questo canto. State a udire: io sento un liuto.

NICIA. Egli è esso. Che vogliàn fare?

LIGURIO. Vuolsi mandare inanzi uno esploratore a scoprire chi egli è, e, secondo ci referirà, secondo fareno.

NICIA. Chi v'andrà?

LIGURIO. Va' via, Siro. Tu sai quello hai a fare. Considera, essamina, torna presto, referisci.

SIRO. Io vo.

NICIA. Io non vorrei che noi pigliassimo un granchio, che fussi qualche vecchio debole o infermiccio; e che questo giuoco si avessi a rifare domandassera.

LIGURIO. Non dubitate, Siro è valente uomo. Eccolo, e' torna. Che truovi, Siro?

SIRO. Egli è el più bello garzonaccio che voi vedessi mai! Non ha venticinque anni, e viensene solo in pitocchino sonando il liuto.

NICIA. Egli è el caso, se tu di' el vero; ma guarda che questa broda sarebbe tutta gittata adosso a te!¹

SIRO. Egli è quel che io v'ho detto.

LIGURIO. Aspettiàno ch'egli spunti questo canto, e subito gli sareno addosso.

NICIA. Tiratevi in qua, maestro; voi mi parete un uom di legno. Eccolo.

CALLIMACO. Venir ti possa el diavolo allo letto,
         dapoi che io non ci posso venire io!²

LIGURIO. Sta' forte. Da' qua questo liuto.

CALLIMACO. Ohimè! che ho io fatto?

NICIA. Tu el vedrai. Cuoprili el capo, imbavaglialo!

LIGURIO. Aggiralo!

NICIA. Dàgli un'altra volta!³ dagliene un'altra! mettetelo in casa!

TIMOTEO. Messere Nicia, io m'andrò a riposare, ché mi duole la testa che io muoio. E se non bisogna io non tornerò domattina.

NICIA. Sì, maestro, non tornate; noi potrem fare da noi.

---

1. Per dire che ricadrebbe su di lui tutta la responsabilità, se la cosa dovesse poi finir male. 2. Versi intonati da Callimaco sul liuto; e bene adatti alla circostanza. L'autore come trascinato dalla sua vena ci fa assistere in questo finale d'atto ad una vera girandola di trovate burlesche, lazzi e invenzioni verbali. 3. *volta*: girata. Affinché il prigioniero, disorientato, non possa indovinare dove lo conducono.

SCENA X
Frate Timoteo solo.

E' sono intanati in casa, e io me ne andrò al convento. E voi, spettatori, non ci appuntate: perché in questa notte non ci dormirà persona, sì che gli Atti non sono interrotti dal tempo.[1] Io dirò l'ufizio. Ligurio e Siro ceneranno, ché non hanno mangiato oggi, el dottore andrà di camera in sala, perché la cucina vadia netta.[2] Callimaco e madonna Lucrezia non dormiranno, perché io so, se io fussi lui, e se voi fussi lei, che noi non dormiremmo.

CANZONE
dopo il quarto atto.

Oh dolce notte, oh sante
ore notturne e quete,
ch'i disïosi amanti accompagnate;
in voi s'adunan tante
letizie, onde voi siete
sole cagion di far l'alme beate.
Voi, giusti premii date,
all'amorose schiere,
delle lunghe fatiche;
voi fate, o felici ore,
ogni gelato petto arder d'amore!

1. Malizioso bisenso: qui è proprio il caso di dire che l'azione della commedia proseguirà anche durante l'intervallo fra gli Atti!   2. *el dottore andrà*...: Nicia si aggirerà di continuo, sorvegliando che tutto in casa funzioni bene.

ATTO QUINTO

SCENA I

Frate Timoteo solo.

Io non ho potuto questa notte chiudere occhio, tanto è il desiderio che io ho d'intendere come Callimaco e gli altri l'abbino fatto. Ed ho atteso a consumare el tempo in varie cose: io dissi matutino, lessi una vita de' Santi Padri, andai in chiesa ed accesi una lampana che era spenta, mutai uno velo ad una Madonna che fa miracoli. Quante volte ho io detto a questi frati che la tenghino pulita! E si maravigliano poi se la divozione manca. Io mi ricordo esservi cinquecento imagine, e non ve ne sono oggi venti; questo nasce da noi, che non le abbiàno saputa mantenere la reputazione. Noi vi solavàno[1] ogni sera doppo la compieta andare a processione e farvi cantare ogni sabato le laude. Botavanci[2] noi sempre quivi perché vi si vedessi delle imagine fresche, confortavamo nelle confessioni gli uomini e le donne a botarvisi. Ora non si fa nulla di queste cose, e po' ci maravigliamo se le cose vanno fredde! Oh, quanto poco cervello è in questi mia frati![3] Ma io sento uno grande romore da casa messere Nicia. Eccogli, per mia fé; e' cavono fuora el prigione. Io sarò giunto a tempo. Ben si sono indugiati alla sgocciolatura, e' si fa appunto l'alba. Io voglio stare a udire quello che dicono sanza scoprirmi.

SCENA II

Messer Nicia, Callimaco, Ligurio, Siro.

NICIA. Piglialo di costà, e io di qua: e tu, Siro, lo tieni per il pitocco, di drieto.

CALLIMACO. Non mi fate male!

LIGURIO. Non avere paura, va' pur via.

1. *solavàno*: solevamo. 2. *Botavanci*: ci votavamo, facevamo noi stessi dei voti. 3. Il ritorto e «mal vissuto» frate, in questi rimpianti, è sincero: curioso e naturalissimo impasto di scetticismo e superstizione, raffinata astuzia e bonaria semplicità, senza che si riesca a capire dove finisce l'una e comincia l'altra, né fino a che punto egli è cosciente di se stesso. Originale creazione, da potere ben reggere il paragone, in questo, col celebrato *Tartuffe* molieresco.

NICIA. Non andiam più là.

LIGURIO. Voi dite bene, lasciallo ire qui. Diangli dua volte, che non sappi donde e' si sia venuto. Giralo, Siro!

SIRO. Ecco.

NICIA. Giralo un'altra volta!

SIRO. Ecco fatto.

CALLIMACO. El mio liuto!

LIGURIO. Via, ribaldo, tira via! S' i' ti sento favellare, io ti taglierò el collo!

NICIA. E' s'è fuggito. Andianci a sbisacciare:[1] e vuolsi che noi usciamo fuora tutti a buona ora, acciò che non si paia che noi abbiamo veghiato questa notte.[2]

LIGURIO. Voi dite el vero.

NICIA. Andate voi e Siro a trovare maestro Callimaco, e gli dite che la cosa è proceduta bene.

LIGURIO. Che li possiamo noi dire? Noi non sappiamo nulla. Voi sapete che, arrivati in casa, noi ce n'andamo nella volta a bere.[3] Voi e la suocera rimanesti alle mani seco, e non vi rivedemo mai se non ora, quando voi ci chiamasti per mandarlo fuora.

NICIA. Voi dite il vero. Oh! io v'ho da dire le belle cose! Mogliama era nel letto al buio. Sostrata m'aspettava al fuoco.[4] I' giunsi su con questo garzonaccio, e perché e' non andassi nulla in capperuccia, io lo menai in una dispensa che io ho in sulla sala, dove era uno certo lume annacquato, e gittava un poco d'albore, in modo ch'e' non mi poteva vedere in viso.

LIGURIO. Saviamente.

NICIA. Io lo feci spogliare: e' nicchiava: io me li volsi come un cane,[5] di modo che li parve mill'anni d'avere fuora e panni, e rimase ignudo. Egli è brutto di viso. Egli aveva uno nasaccio, una bocca torta; ma tu non vedesti mai le più belle carni! bianco, morbido, pastoso, e dell'altre cose non ne domandate.

---

1. *a sbisacciare*: a metterci in libertà, essendo finito il «servizio». Con richiamo al viaggiatore che, dopo lunga cavalcata, smonta e toglie dall'arcione le bisacce. 2. Sempre con la preoccupazione di far restare la cosa segreta. *Veghiato* (più comune *vegghiato*): vegliato. 3. *andamo . . .*: andammo a bere in dispensa a pian terreno o interrata, e col soffitto «a volta» come le cantine). Per far più completa la beffa, Ligurio vuole che Nicia racconti loro quello che essi sanno anche troppo bene. 4. *al fuo co*: al focolare, davanti al camino acceso. 5. *come un cane*: minacciandolo, furibondo.

LIGURIO. E' non è bene ragionarne, che bisognava vederlo tutto.

NICIA. Tu vuoi el giambo. Poi che avevo messo mano in pasta, io ne volsi toccare il fondo: poi volsi vedere s'egli era sano: s'egli avessi auto le bolle,[1] dove mi trovavo io? Tu ci metti parole.

LIGURIO. Avete ragione voi.

NICIA. Come io ebbi veduto che gli era sano, io me lo tirai drieto, ed al buio lo menai in camera: messi al letto; e innanzi mi partissi volli toccare con mano come la cosa andava, ché io non sono uso ad essermi dato ad intendere lucciole per lanterne.

LIGURIO. Con quanta prudenzia avete voi governato questa cosa!

NICIA. Tocco e sentito che io ebbi ogni cosa, mi uscii di camera e serrai l'uscio, e me n'andai alla suocera che era al fuoco, e tutta notte abbiamo atteso a ragionare.

LIGURIO. Che ragionamenti sono stati e vostri?

NICIA. Della sciocchezza di Lucrezia, e quanto egli era meglio che sanza tanti andirivieni ella avessi ceduto al primo. Dipoi ragionamo del bambino, che me lo pare tuttavia avere in braccio, el naccherino! tanto che io sentii sonare le tredici ore; e dubitando che il dì non sopraggiugnessi, me n'andai in camera. Che direte voi, che io non poteva fare levare quel rubaldone?

LIGURIO. Credolo!

NICIA. E' gli era piaciuto l'unto! Pure e' si levò, io vi chiamai, e l'abbiamo condotto fuora.

LIGURIO. La cosa è ita bene.

NICIA. Che dira' tu, che me ne 'ncresce?

LIGURIO. Di che?

NICIA. Di quel povero giovane, ch'egli abbi a morire sì presto, e che questa notte gli abbi a costare sì cara.

LIGURIO. Oh, voi avete e pochi pensieri![2] Lasciatene la cura a lui.

NICIA. Tu di' el vero. Ma mi pare bene mille anni di trovare maestro Callimaco e rallegrarmi seco.

LIGURIO. E' sarà fra un'ora fuora. Ma gli è chiaro el giorno: noi ci andreno a spogliare; voi che farete?

NICIA. Andronne anche io in casa a mettermi e panni buoni. Farò levare e lavare la donna, e farolla venire alla chiesa ad en-

---

1. *le bolle*: le bollicine a fior di pelle, indizio della sifilide che si era da non molto diffusa in Italia, chiamata, come è noto, «mal francioso».
2. *avete e pochi pensieri!*: Si vede che avete pochi fastidi, per stare a preccuparvi di questo.

trare in santo.¹ Io vorrei che voi e Callimaco fussi là, e che noi
parlassimo al frate per ringraziarlo e ristorallo del bene che ci ha
fatto.
LIGURIO. Voi dite bene: così si farà.

SCENA III
Frate Timoteo solo.

Io ho udito questo ragionamento e m'è piaciuto, considerando
quanta sciocchezza sia in questo dottore; ma la conclusione ultima mi ha sopra modo dilettato.² E poiché debbono venire a
trovarmi a casa, io non voglio star più qui ma aspettargli alla
chiesa, dove la mia mercanzia varrà più. Ma chi esce di quella
casa? E' mi pare Ligurio, e con lui debbe esser Callimaco. Io
non voglio che mi vegghino, per le ragione dette; pure, quando e'
non venissino a trovarmi, sempre sarò a tempo a andare a trovare loro.

SCENA IV
Callimaco, Ligurio.

CALLIMACO. Come io t'ho detto, Ligurio mio, io stetti di mala
voglia insino alle nove ore: e benché io avessi grande piacere e'
non mi parve buono. Ma poi che io me le fu' dato a conoscere e
che io l'ebbi dato ad intendere lo amore che io le portavo, e quanto
facilmente per la semplicità del marito noi potavàno vivere felici
sanza infamia alcuna, promettendole che qualunque volta Dio facessi altro di lui³ di prenderla per donna: ed avendo ella, oltre
alle vere ragione, gustato che differenzia è dalla iacitura⁴ mia a
quella di Nicia, e da e baci d'uno amante giovane a quelli d'uno
marito vecchio, doppo qualche sospiro disse: — Poi che l'astuzia
tua, la sciocchezza del mio marito, la semplicità di mia madre e la

1. «Andare in santo significava: l'andare o esser condotte le partorienti la
prima volta dopo il parto in chiesa per la benedizione» (Flora). Ma qui messer Nicia, nel suo giubilo, vuol fare la cerimonia per il felice concepimento!
2. La enormità della farsa cui Nicia si è così allegramente prestato, ha
divertito anche il frate; ma più di tutto lo rallegra la promessa di ricompen-
sarlo (ristorallo) di quanto ha fatto.   3. qualunque volta Dio . . .: se mai
Dio lo chiamasse a sé.   4. iacitura: giacitura, modo di stare a letto

tristizia del mio confessoro mi hanno condotta a fare quello che
mai per me medesima arei fatto, io voglio iudicare che e' venga
da una celeste disposizione che abbi voluto così, e non sono suffi-
ciente a recusare quello che 'l cielo vuole che io accetti. Però io
ti prendo per signore, padrone, guida: tu mio padre, tu mio de-
fensore, e tu voglio che sia ogni mio bene; e quello che 'l mio
marito ha voluto per una sera, voglio ch'egli abbia sempre. Fara'ti
adunque suo compare, e verrai questa mattina alla chiesa, e di
quivi ne verrai a desinare con esso noi; e l'andare e lo stare starà
a te, e potreno ad ogni ora e sanza sospetto convenire insieme.[1] —
Io fui, udendo queste parole, per morirmi per la dolcezza. Non
potetti respondere alla minima parte di quello che io arei deside-
rato. Tanto che io mi truovo el più felice e contento uomo che
fussi mai nel mondo, e se questa felicità non mi mancassi o per
morte o per tempo, io sarei più beato ch'e beati, più santo che
e santi.

LIGURIO. Io ho gran piacere d'ogni tuo bene, e ètti intervenuto
quello che io ti dissi appunto. Ma che facciamo noi ora?

CALLIMACO. Andiàno verso la chiesa, perché io le promissi d'essere là, dove la verrà lei, la madre e il dottore.

LIGURIO. Io sento toccare l'uscio suo: le sono esse ed escono fuora
ed hanno el dottore drieto.

CALLIMACO. Avvianci in chiesa, e là aspettereno.

SCENA V

Messer Nicia, Lucrezia, Sostrata.

NICIA. Lucrezia, io credo che sia bene fare le cose con timore
di Dio e non alla pazzeresca.

LUCREZIA. Che s'ha egli a fare, ora?

NICIA. Guarda come ella risponde! La pare un gallo![2]

SOSTRATA. Non ve ne maravigliate, ella è un poco alterata.

LUCREZIA. Che volete voi dire?

NICIA. Dico che egli è bene che io vadia inanzi a parlare al frate,

1. Ragionamento chiaramente esemplato su quelli delle «savie donne»
del Boccaccio: delicatamente femminili, schiette, e anche oneste, fino a
quando è loro concesso dal destino, ma non disposte a fare, dell'onestà
a tutti i costi, né uno scandalo né un martirio. 2. *La pare un gallo*: ha
alzato la cresta, non è più remissiva come prima.

e dirli che ti si facci incontro in sullo uscio della chiesa per menarti in santo, perché gli è proprio, stamane, come se tu rinascessi.

LUCREZIA. Che non andate?

NICIA. Tu se' stamani molto ardita! Ella pareva iersera mezza morta.

LUCREZIA. Egli è la grazia vostra!

SOSTRATA. Andate a trovare el frate. Ma e' non bisogna, egli è fuora di chiesa.

NICIA. Voi dite el vero.

SCENA VI
Frate Timoteo, messer Nicia, Lucrezia, Callimaco, Ligurio, Sostrata.

TIMOTEO. Io vengo fuora perché Callimaco e Ligurio m'hanno detto che el dottore e le donne vengono alla chiesa.

NICIA. *Bona dies*, padre!

TIMOTEO. Voi siate le benvenute, e buon pro vi faccia, madonna, che Dio vi dia a fare un bello figliuolo maschio!

LUCREZIA. Dio el voglia!

TIMOTEO. E' lo vorrà in ogni modo.

NICIA. Veggh'io in chiesa Ligurio e maestro Callimaco?

TIMOTEO. Messere sì.

NICIA. Accennateli.

TIMOTEO. Venite!

CALLIMACO. Dio vi salvi!

NICIA. Maestro, toccate la mano qui alla donna mia.

CALLIMACO. Volentieri.

NICIA. Lucrezia, costui è quello che sarà cagione che noi areno un bastone che sostenga la nostra vecchiezza.

LUCREZIA. Io l'ho molto caro, e vuolsi che sia nostro compare.

NICIA. Or benedetta sia tu! E voglio che lui e Ligurio venghino stamani a desinare con esso noi.

LUCREZIA. In ogni modo.

NICIA. E vo' dare loro la chiave della camera terrena d'in sulla loggia, perché possino tornarsi quivi a lor commodità,[1] ché non hanno donne in casa e stanno come bestie.

---

1. *tornarsi quivi* . . .: venire ad alloggiare ogni tanto lì, a loro comodo.

CALLIMACO. Io l'accetto, per usarla quando mi acaggia.

TIMOTEO. Io ho avere e danari per la limosina?

NICIA. Ben sapete come, *domine*, oggi vi si manderanno.

LIGURIO. Di Siro non è uomo che si ricordi?

NICIA. Chiegga, ciò che io ho è suo. Tu, Lucrezia, quanti grossi hai a dare al frate per entrare in santo?

LUCREZIA. Dategliene dieci.

NICIA. Affogaggine!

TIMOTEO. Voi, madonna Sostrata, avete, secondo mi pare, messo un tallo in sul vecchio.[1]

SOSTRATA. Chi non sarebbe allegra?

TIMOTEO. Andianne tutti in chiesa, e quivi direno l'orazione ordinaria; dipoi doppo l'uficio ne andrete a desinare a vostra posta. Voi, aspettatori, non aspettate che noi usciàno più fuora: l'uficio è lungo, e io mi rimarrò in chiesa, e loro per l'uscio del fianco se ne andranno a casa. Valète!

---

1. *messo un tallo in sul vecchio*: messo fuori un pollone sul vecchio tronco. Timoteo complimenta la vecchia, dicendole che gli sembra ringiovanita.

BELFAGOR

F. A. V.
O. L.
A.[1]

[Belfagor arcidiavolo]

Leggesi nelle antiche memorie delle fiorentine cose come già s'in-
tese per relazione,[2] di alcuno santissimo uomo — la cui vita, apresso
qualunque in quelli tempi viveva, era celebrata — che standosi
abstratto nelle sue orazioni vide, mediante quelle,[3] come andando
infinite anime di quelli miseri mortali che nella disgrazia di Dio
morivano all'inferno, tutte o la maggior parte si dolevono non
per altro che per avere preso moglie essersi a tanta infelicità condotte. Donde che Minos e Radamanto insieme con gli altri infernali giudici ne avevano maraviglia grandissima. E non potendo
credere queste calunnie che costoro al sesso femmineo davano
essere vere, e crescendo ogni giorno le querele, e avendo di tutto
fatto a Plutone conveniente rapporto, fu deliberato per lui di
avere sopra questo caso con tutti gl'infernali principi maturo esamine, e pigliarne dipoi quel partito che fussi giudicato migliore
per scoprire questa fallacia o conoscerne in tutto la verità. Chiama-
togli adunque a concilio parlò Plutone in questa sentenza: — Ancora che io, dilettissimi miei, per celeste disposizione e fatale sorte
al tutto inrevocabile posegga questo regno, e che per questo io

---

1. Nell'autografo il racconto reca il titolo di *Favola*, in caratteri maiuscoli
la cui bizzarra disposizione è stata riprodotta fedelmente qui sopra. Solo nelle prime edizioni (uscite postume intorno alla metà del secolo) si
incominciano a trovare i titoli di *Belfagor arcidiavolo* o *Novella del diavolo
che prese moglie*, dei quali finì per imporsi il primo. – Da vari indizi è
lecito credere che l'operetta sia stata scritta in epoca piuttosto giovanile;
ma è impossibile precisare se subito dopo il 1512 o alquanto prima, secondo la pur plausibile ipotesi di L.-F. Benedetto. La beffa fatta al demonio, che offrì al M. la trama, appare tema novellistico assai antico, di
origine orientale; più che probabile che il Nostro nella sua trattazione
sia stato ispirato, direttamente o indirettamente, da una narrazione medievale latina ridotta in francese da Jehan le Fèvre col titolo *Les lamenta-
tions de Matheolus*. Ma egli rinnovò con arte vivacemente veristica il tema,
e innovò specie nella prima parte. 2. *per relazione*: per racconti a viva
voce, per «tradizione orale». Prova evidente che la storiella era di dominio popolare; l'autore vuole scherzosamente far credere di averne anche
trovato una relazione documentata. 3. *mediante quelle*: in grazia di tali
orazioni.

non possa essere obligato ad alcuno iudicio o celeste o mondano,
nondimeno, perché gli è maggiore prudenza di quelli che possono
più sottomettersi più alle leggi e più stimare l'altrui iudizio: ho
deliberato esser consigliato da voi come, in uno caso il quale potrebbe seguire con qualche infamia del nostro imperio, io mi
debba governare. Perché dicendo tutte l'anime degli uomini che
vengono nel nostro regno esserne stato cagione la moglie, e pa-
rendoci questo impossibile, dubitiamo che dando iudizio sopra
questa relazione,[1] ne possiamo essere calunniati come troppo cre-
duli, e non ne dando, come manco severi e poco amatori della
iustizia. E perché l'uno peccato è da uomini leggieri e l'altro da
ingiusti, e volendo fuggire quegli carichi[2] che da l'uno e l'altro
potrebbono dependere, e non trovandone il modo, vi abbiamo
chiamati acciò che consigliandone ci aiutiate e siate cagione che
questo regno, come per lo passato è vivuto sanza infamia, così
per lo advenire viva.[3] — Parve a ciascheduno di quegli principi il
caso importantissimo e di molta considerazione: e concludendo
tutti come egli era necessario scoprirne la verità, erano discrepanti
del[4] modo. Perché a chi pareva che si mandassi uno, a chi più
nel mondo, e sotto forma di uomo conoscessi personalmente questo vero:[5] a molti altri occorreva[6] potersi fare sanza tanto disagio
constringendo varie anime con varii tormenti a scoprirlo. Pure la
maggior parte consigliando che si mandassi, s'indirizorno a questa opinione. E non si trovando alcuno che voluntariamente preen-
dessi questa impresa, deliberorno che la sorte fussi quella che lo
dichiarassi. La quale cadde sopra Belfagor arcidiavolo, ma per lo
adietro, avanti che cadessi di cielo, arcangelo.[7] Il quale, ancora che

---

1. *dando iudizio* . . .: basando le loro sentenze sopra tali testimonianze.
Formula del linguaggio curialesco, al quale chiaramente si attiene tutta
questa introduzione, con garbati effetti di comicità.   2. *carichi*: accuse.
3. Fu giustamente notato che Plutone si presenta qui in veste di « savio
principe ».   4. *discrepanti del*: discordanti sul . . .   5. *Conoscere, riconoscere*,
valeva nel linguaggio giudiziario, ricercare, « inquisire ». Qui la frase ha il
senso di: « riuscire ad appurare per personale esperienza quanto ci fosse
di verità » in quelle tali testimonianze delle anime sottoposte a giudizio.
6. *occorreva*: (sott., in mente) sembrava bene.   7. « Baal-Peor (Βελφεγώρ
nella Bibbia dei Settanta) fu un dio dei Moabiti e dei Madianiti . . . Non
è inutile ricordare, per comprendere per qual motivo il M. abbia chiamato così il suo protagonista, che Belfagor presso i Madianiti era sopratutto adorato dalle donne e che S. Girolamo lo chiama in più luoghi il
corrispondente ebraico di Priapo. Per lui e per gli amici iniziati, la storia
delle tre donne invasate da Belfagor assumeva quindi il colore delle più
grasse facezie » (L.-F. Benedetto).

male volentieri pigliassi questo carico, nondimeno constretto da lo
imperio di Plutone si dispose a seguire quanto nel concilio si era
determinato, e si obligò a quelle condizioni che infra loro solen-
nemente erano state deliberate. Le quali erano: che subito a colui
che fussi a questa commissione deputato fussino consegnati cento
mila ducati, con i quali doveva venire nel mondo, e sotto forma di
uomo preender moglie e con quella vivere X anni e dipoi fingendo
di morire tornarsene e per esperienza fare fede a i suoi superiori
quali sieno i carichi e le incommodità del matrimonio. Dichia-
rossi ancora che durante detto tempo ei fussi sottoposto a tutti
quegli disagi e mali che sono sottoposti gli uomini, e che si tira
drieto la povertà, le carcere, la malattia e ogni altro infortunio
nel quale gli uomini incorrono, eccetto se con inganno o astuzia
se ne liberassi.[1] Presa adunque Belfagor la condizione e i danari ne
venne nel mondo: e ordinato di sua masnade[2] cavagli e compagni
entrò onoratissimamente in Firenze: la quale città innanzi a tutte
l'altre elesse per suo domicilio, come quella che gli pareva più
atta a sopportare chi con arte usurarie esercitassi i suoi danari:[3]
. . . .
. . . .

E fattosi chiamare Roderigo di Castiglia prese una casa a fitto
nel borgo d'Ognisanti; e perché non si potessino rinvenire le sue
condizioni, disse essersi da piccolo partito di Spagna e itone in
Soria, e avere in Aleppe guadagnato tutte le sue facultà: donde
s'era poi partito per venire in Italia a preender donna in luoghi più
umani e alla vita civile e allo animo suo più conformi. Era Roderigo bellissimo uomo e monstrava una età di trenta anni; e
avendo in pochi giorni dimostro di quante ricchezze abundassi,
e dando esempli di sé di essere umano e liberale, molti nobili
cittadini che avevano assai figliole e pochi danari se gli offerivano:
intra le quali tutte Roderigo scielse una bellissima fanciulla chiamata Onesta,[4] figliuola di Amerigo Donati il quale ne aveva tre

1. Cioè, gli era concesso difendersi solo con mezzi umani.   2. *di sua*
masnade: delle bande di demonii a lui sottoposti.   3. È una stoccata ai
costumi di Firenze, che troveremo in seguito argutamente satireggiati anche per altri rispetti. – Da notare che nell'autografo a questo punto si
trovano due righe accuratissimamente cancellate, nelle quali si riuscì a
leggere soltanto, sul principio, le parole « et che la fussi ... di poca religione ».   4. Anche il nome sembra scelto non senza intenzione: la fanciulla
si rivelerà moglie « onesta » nel significato corrente della parola, ma farà

altre, insieme con tre figliuoli maschi tutti uomini, e quelle erano
quasi che da marito; e benché fussi d'una nobilissima famiglia, e di
lui fussi in Firenze tenuto buono conto, non dimanco era rispetto
alla brigata ch'avea[1] e alla nobilità poverissimo. Fece Roderigo
magnifiche e splendidissime noze: né lasciò indietro alcuna di
quelle cose che in simili feste si desiderano. E essendo, per la
legge che gli era stata data nello uscire d'inferno, sottoposto a tutte
le passioni umane, subito cominciò a pigliare piacere degli onori
e delle pompe del mondo e avere caro di essere laudato intra gli
uomini, il che gli arrecava spesa non piccola. Oltra di questo non
fu dimorato molto con la sua monna Onesta che se ne innamorò
fuori di misura: né poteva vivere qualunque volta la vedeva stare
trista e avere alcuno dispiacere. Aveva monna Onesta portato in
casa di Roderigo insieme con la nobilità e con la belleza tanta
superbia che non ne ebbe mai tanta Lucifero: e Roderigo che
aveva provata l'una e l'altra[2] giudicava quella della moglie superiore; ma diventò di lunga maggiore come prima quella si ac-
corse dello amore che il marito le portava; e parendole poterlo
da ogni parte signoreggiare, sanza alcuna pietà o rispetto lo comandava: né dubitava, quando da lui alcuna cosa gli era negata,
con parole villane e iniuriose morderlo.[3] Il che era a Roderigo
cagione di inestimabile noia. Pur nondimeno il suocero, i frategli, il parentado, l'obligo del matrimonio,[4] e sopratutto il grande
amore le portava, gli faceva avere pazienza. Io voglio lasciare ire
le grande spese che per contentarla faceva in vestirla di nuove
usanze e contentarla di nuove fogge che continuamente la nostra
città per sua naturale consuetudine varia: che[5] fu necessitato, volendo stare in pace con lei, aiutare al suocero maritare l'altre sue
figliuole: dove spese grossa somma di danari. Dopo questo, volendo
avere bene[6] con quella, gli convenne mandare uno de' frategli in
Levante con panni: un altro in Ponente con drappi: all'altro aprire
uno battiloro[7] in Firenze. Nelle quali cose dispensò la maggiore

pagare ben caro a Belfagor-Roderigo questa sua unica qualità. Ed è tratto
assai originale del M. l'aver evitato, in questa figura di moglie insopportabile, i troppo facili scherzi sulle infedeltà coniugali.   1. *rispetto alla brigata ch'avea*: tenendo conto della numerosa famiglia che doveva mantenere.   2. *l'una e l'altra*: e la superbia di Lucifero e, ora, quella della
moglie.   3. *morderlo*: aggredirlo, satireggiarlo. È latinismo rimasto vivo
in alcuni nostri dialetti.   4. *l'obligo* . . .: il rispetto al vincolo del matrimonio.   5. *che*: che anzi.   6. *avere bene*: stare in pace.   7. *battiloro*: in
origine l'orefice, quindi anche la sua bottega.

parte delle sue fortune. Oltre a di questo ne' tempi de' carnasciali
e de San Giovanni, quando tutta la città per antica consuetudine
festeggia, e che molti cittadini nobili e ricchi con splendidissimi
conviti si onorono, per non essere monna Onesta all'altre donre
inferiore, voleva che il suo Roderigo con simili feste tutti gli altri superassi. Le quali cose tutte erano da lui per le sopradette
cagioni sopportate: né gli sarebbono, ancora che gravissime, pa-
rute gravi a farle, se da questo ne fussi nata la quiete della casa
sua, e s'egli avessi potuto pacificamente aspettare i tempi della
sua rovina. Ma gl'interveniva l'opposito. Perché con le insopportabili spese la insolente natura di lei infinite incommodità gli arrecava. E non erano in casa sua né servi né serventi che, non che
molto tempo ma brevissimi giorni, la potessino sopportare; donde
ne nascevano a Roderigo disagi gravissimi per non potere tenere
servo fidato che avessi amore alle cose sua: e non che altri quegli
diavoli, i quali in persona di famigli aveva condotti seco, più
tosto elessono di tornarsene in inferno a stare nel fuoco che vivere nel mondo sotto lo imperio di quella. Standosi adunque Roderigo in questa tumultuosa e inquieta vita, e avendo per le di-
sordinate spese già consumato quanto mobile[1] si aveva riserbato,
cominciò a vivere sopra la speranza de' ritratti[2] che di Ponente e
di Levante aspettava: e avendo ancora buono credito, per non
mancar di suo grado prese a cambio.[3] E girandogli già molti marchi adosso,[4] fu presto notato da quegli che in simile esercizio in
mercato si travagliano. E essendo di già il caso suo tenero,[5] vennero
in un subito di Levante e di Ponente nuove: come l'uno de' frategli di monna Onesta s'aveva giucato tutto il mobile di Roderigo:
e che l'altro tornando sopra una nave carica di sua marcatanzie
sanza essersi altrimenti assicurato era insieme con quelle adnegato.
Né fu prima publicata questa cosa che i creditori di Roderigo si
ristrinsono insieme, e giudicando che fussi spacciato, né possendo
ancora scoprirsi[6] per non essere venuto il tempo de' pagamenti
loro; conclusono che fussi bene observarlo così destramente acciò
che dal detto al fatto di nascoso non se ne fuggissi. Roderigo da
l'altra parte, non veggiendo al caso suo rimedio, e sapiendo a

1. *mobile*: denaro liquido, beni mobili. 2. *ritratti*: ricavi, guadagni. 3. *a cambio*: in prestito, diremmo oggi «facendo cambiali». 4. *girandogli*...: andando in giro molte di queste lettere di debito col suo nome. 5. *il caso suo tenero*: la sua posizione finanziaria «debole». 6. *scoprirsi*: manifestare apertamente i loro dubbi, e quindi intentare azioni legali.

quanto la leggie infernale lo costringeva,[1] pensò di fuggirsi in ogni
modo. E montato una mattina a cavallo, abitando propinquo alla
Porta al prato, per quella se ne uscì. Né prima fu veduta la partita
sua che il romore si levò fra i creditori, i quali ricorsi a i magistrati
non solamente con i cursori ma popularmente[2] si missono a se-
guirlo. Non era Roderigo, quando se gli lievò drieto il romore,
dilungato da la città uno miglio: in modo che vedendosi a male
partito deliberò, per fuggire più secreto, uscire di strada, e atra-
verso per gli campi cercare sua fortuna. Ma sendo a fare questo
impedito da le assai fosse che atraversano il paese, né potendo
per questo ire a cavallo, si misse a fuggire a piè e lasciata la caval-
catura in su la strada, attraversando di campo in campo, coperto da
le vigne e da' canneti di che quel paese abonda, arrivò sopra Peretola a casa Gianmatteo del Brica, lavoratore di Giovanni Del Bene,
e a sorte trovò Gianmatteo che arrecava a casa da rodere a i buoi
e se gli raccomandò, promettendogli che se lo salvava da le mani
de' suoi nimici, i quali per farlo morire in prigione lo seguitavano,
che lo farebbe ricco, e gliene darebbe innanzi alla sua partita tale
saggio che gli crederebbe, e quando questo non facessi era contento che esso proprio lo ponessi in mano a i suoi aversari. Era
Gianmatteo, ancora che contadino, uomo animoso, e giudicando
non potere perdere a pigliare partito di salvarlo, gliene promisse,
e cacciatolo in uno monte di letame quale aveva davanti a la sua
casa lo ricoperse con cannuccie e altre mondiglie[3] che per ardere
aveva ragunate. Non era Roderigo apena fornito di nascondersi che
i suoi perseguitatori sopraggiunsono e per spaventi che facessino
a Gianmatteo non trassono mai da lui che lo avessi visto: tal
che, passati più innanzi, avendolo invano quel dì e quell'altro cerco,
stracchi se ne tornorno a Firenze. Gianmatteo adunque, cessato
il romore, e trattolo del loco dove era, lo richiese della fede data.[4]
Al quale Roderigo disse: — Fratello mio, io ho con teco un grande
obligo e lo voglio in ogni modo sodisfare: e perché tu creda che
io possa farlo ti dirò chi io sono. — E quivi gli narrò di suo essere
e delle leggi avute allo uscire d'inferno e della moglie tolta; e di

1. Perché, come è detto in principio, egli non poteva ricorrere per salvarsi
a nessuna arte magica o infernale. 2. *non solamente* . . .: non solo per
mezzo dei pubblici uscieri, ma a furor di popolo. 3. *mondiglie*: avanzi di
cose mondate, quindi «immondizie». 4. Vale a dire, di mantenere la
promessa.

più gli disse il modo con il quale lo voleva arichire, che insumma
sarebbe questo: che come ei sentiva che alcuna donna fussi spiritata credessi lui essere quello che le fussi adosso; né mai se n'uscirebbe s'egli non venissi a trarnelo:[1] donde arebbe occasione di farsi
a suo modo pagare da i parenti di quella. E rimasi in questa conclusione sparì via.[2] Né passorno molti giorni che si sparse per
tutto Firenze come una figliuola di messer Ambruogio Amidei, la
quale aveva maritata a Bonaiuto Tebalducci, era indemoniata, né
mancorno i parenti di farvi tutti quegli remedii che in simili acci-
denti si fanno: ponendole in capo la testa di San Zanobì e il mantello di San Giovanni Gualberto. Le quali cose tutte da Roderigo
erano uccellate.[3] E per chiarire ciascuno come il male della fanciulla era uno spirito e non altra fantastica imaginazione, parlava
in latino e disputava delle cose di filosofia e scopriva i peccati di
molti: intra i quali scoperse quelli d'uno frate che si aveva tenuta
una femmina vestita ad uso di fraticino più di quattro anni nella
sua cella; le quali cose facevano maravigliare ciascuno.[4] Viveva
pertanto messer Ambruogio malcontento. E avendo invano pro-
vati tutti i remedi, aveva perduta ogni speranza di guarirla, quando Gianmatteo venne a trovarlo e gli promisse la salute de la sua
figliuola quando gli voglia donare cinquecento fiorini per comperare uno podere a Peretola. Accettò messer Ambruogio il partito: donde Gianmatteo, fatte dire prima certe messe e fatte sua

1. Cioè, Belfagor non avrebbe mai abbandonato questa «ossessa» (spiritata), se non fosse venuto a esorcizzarla Gianmatteo. La credenza che i
mentecatti o comunque i soggetti ad accessi nervosi fossero invasati dal
demonio, universale nel medioevo e avallata dalla Chiesa, era ancora molto
diffusa a quei tempi.   2. Facile notare qui una incongruenza con quanto
è detto e sottinteso fino a poche righe prima: se Belfagor era obbligato
per dieci anni a vivere in tutto come un uomo, tanto che poco prima mo-
riva di paura per le possibili vendette dei creditori, come fa ora a sparire
d'un tratto, e quindi ad andare a far «spiritare» le varie donne? La ir-
razionalità, innegabile, in nulla incide però sui meriti artistici del racconto.   3. uccellate: schernite. Par di vedere un malizioso sorriso dello
scrittore per quelle pratiche superstiziose.   4. Da ricordare che, in
un piccolo codice della Laurenziana della fine del '400, si trova narrato
come ad una giovinetta ossessa, nell'anno 1466, venne messa in capo
per esorcismo la testa di san Giovanni Gualberto che si conservava
nel convento di San Salvi; ed allora lo spirito che la occupava si mise a parlare in bello e acuto stile, rivelando molti peccati segreti di
Firenze, e specialmente quelli dei frati del convento: «È molto veri-
simile che il M. abbia avuto notizia, direttamente o indirettamente, del
curioso racconto. È da escludersi però, secondo me, la tesi dell'Arlia, che
sia venuta di là al M. l'idea prima della sua novella» (Benedetto).

cerimonie per abbellire la cosa, si acostò a gli orechi della fanciulla
e disse: — Roderigo, io sono venuto a trovarti perché tu mi observi
la promessa. — Al quale Roderigo rispose: — Io sono contento. Ma
questo non basta a farti ricco. E però, partito che io sarò di qui,
enterrò nella figliuola di Carlo Re di Napoli; né mai ne uscirò
sanza di te. Farati allora fare una mancia a tuo modo. Né poi mi
darai più briga. — E detto questo s'uscì d'adosso a colei, con piacere e admirazione di tutta Firenze. Non passò dipoi molto tempo
che per tutta Italia si sparse l'accidente venuto a la figliuola del
Re Carlo. Né vi si trovando rimedio, avuta il Re notizia di Gianmatteo, mandò a Firenze per lui. Il quale, arrivato a Napoli, dopo
qualche finta cerimonia la guarì. Ma Roderigo, prima che partissi,
disse: — Tu vedi, Gianmatteo, io ti ho observato le promesse di
averti arrichito. E però sendo disobligo io non sono più tenuto di
cosa alcuna. Pertanto sarai contento non mi capitare più innanzi,
perché, dove io ti ho fatto bene ti farei per lo avvenire male. — Tornato adunque a Firenze Gianmatteo richissimo (perché aveva avuto
da il Re meglio che cinquantamila ducati) pensava di godersi quelle
richeze pacificamente, non credendo però che Roderigo pensassi
di offenderlo. Ma questo suo pensiero fu subito turbato da una
nuova che venne: come una figliuola di Lodovico settimo Re di
Francia era spiritata. La quale nuova alterò tutta la mente di Gianmatteo pensando a l'autorità di quel Re e a le parole che gli aveva
Roderigo dette.[1] Non trovando adunque quel Re alla sua figliuola
rimedio e intendendo la virtù di Gianmatteo, mandò prima a ri-
chiederlo semplicemente per un suo cursore. Ma allegando quello
certe indisposizioni fu forzato quel Re a richiederne la Signoria.
La quale forzò Gianmatteo a ubidire. Andato pertanto costui tutto
sconsolato a Parigi, mostrò prima a il Re come egli era certa cosa
che per lo adrietro aveva guarita qualche indemoniata, ma che
non era per questo ch'egli sapessi o potessi guarire tutti, perché
se ne trovavano di sì perfida natura che non temevano né minaccie
né incanti né alcuna religione; ma con tutto questo era per fare

1. Anche qui si può trovare o incongruenza o oscurità; perché non è chiara
la ragione per cui Belfagor, cui pure Gianmatteo aveva reso un servizio
tenendosi poi fedele ai patti, dovesse divertirsi a metterlo in un terribile
imbarazzo. La cosa può servir di conferma all'ipotesi che il M., dopo
d'aver steso questo racconto con intenti letterari e per pubblicarlo con
altri suoi scritti di fantasia, abbandonato il progetto, lo lasciasse quindi
da parte senza curarsi di condurlo all'ultima perfezione.

suo debito, e non gli riuscendo ne domandava scusa e perdono.
Al quale il Re turbato disse che se non la guariva che lo appende-
rebbe. Sentì per questo Gianmatteo dolore grande: pure, fatto
buono cuore, fece venire la indemoniata e, acostatosi all'orechio
di quella, umilmente si raccomandò a Roderigo, ricordandogli il
beneficio fattogli e di quanta ingratitudine sarebbe esemplo se lo
abbandonassi in tanta necessità. Al quale Roderigo disse: — Do!
villan traditore, siché tu hai ardire di venirmi innanzi! Credi tu
poterti vantare d'essere arrichito per le mie mani? Io voglio mostrare a te e a ciascuno come io so dare e tòrre ogni cosa a mia
posta; e innanzi che tu ti parta di qui io ti farò impiccare in ogni
modo. — Donde che Gianmatteo non veggiendo per allora rimedio pensò di tentare la sua fortuna per un'altra via. E fatto andare
via la spiritata disse al Re: — Sire, come io vi ho detto, e' sono di
molti spiriti che sono sì maligni che con loro non si ha alcuno
buono partito, e questo è uno di quegli. Pertanto io voglio fare
una ultima sperienza, la quale se gioverà, la Vostra Maestà e io
aremo la intenzione nostra; quando non giovi io sarò nelle tua
forze e arai di me quella compassione che merita la innocenzia
mia. Farai pertanto fare in su la piaza di Nostra Dama un palco
grande e capace di tutti i tuoi baroni e di tutto il clero di questa
città; farai parare il palco di drappi di seta e d'oro; fabbricherai nel
mezo di quello uno altare; e voglio che domenica mattina prossima
tu con il clero insieme con tutti i tuoi principi e baroni, con la
reale pompa, con splendidi e richi abigliamenti conveniate sopra
quello, dove, celebrata prima una solenne messa, farai venire la
indemoniata. Voglio oltra di questo che da l'uno canto de la piaza
sieno insieme venti persone almeno che abbino trombe, corni,
tamburi, cornamuse, cembanelle, cemboli e d'ogn'altra qualità romori, i quali quando io alzerò uno cappello dieno in quegli stru-
menti e sonando ne venghino verso il palco, le quali cose insieme
con certi altri segreti rimedii credo che faranno partire questo
spirito. — Fu subito da il Re ordinato tutto, e venuta la domenica
mattina e ripieno il palco di personaggi e la piaza di populo, celebrata la messa, venne la spiritata condutta in sul palco per le mani
di dua vescovi e molti signori. Quando Roderigo vide tanto popolo insieme e tanto apparato rimase quasi che stupido e fra sé
disse: «Che cosa ha pensato di fare questo poltrone di questo
villano? Crede egli sbigottirmi con questa pompa? non sa egli

che io sono uso a vedere le pompe del cielo e le furie dello inferno?
Io lo gastigherò in ogni modo». E accostandosegli Gianmatteo e
pregandolo che dovessi uscire gli disse: — O tu hai fatto il bel
pensiero! Che credi tu fare con questi tuoi apparati? Credi tu
fuggire per questo la potenza mia e l'ira del Re? Villano ribaldo,
io ti farò impiccare in ogni modo. — E così ripregandolo quello e
quell'altro dicendogli villania, non parve a Gianmatteo di perdere
più tempo. E fatto il cenno con il cappello, tutti quegli che erano
a romoreggiare diputati dettono in quegli suoni, e con romori che
andavono al cielo ne vennono verso il palco. Al quale romore
alzò Roderigo gli orechi; e non sapiendo che cosa fussi e stando
forte maravigliato, tutto stupido domandò Gianmatteo che cosa
quella fussi. Al quale Gianmatteo tutto turbato disse: — Oimè,
Roderigo mio! Quella è mogliata che ti viene a ritrovare. — Fu cosa
maravigliosa a pensare quanta alterazione di mente recassi a Roderigo sentire ricordato il nome della moglie. La quale fu tanta che
non pensando s'egli era possibile o ragionevole se la fussi dessa
sanza replicare altro, tutto spaventato se ne fuggì lasciando la fanciulla libera; e volse più tosto tornarsene in inferno a rendere ragione delle sua azioni che di nuovo con tanti fastidii, dispetti e
periculi sottoporsi al giogo matrimoniale. E così Belfagor tornato in inferno fece fede de' mali che conduceva in una casa la
moglie. E Gianmatteo, che ne seppe più che il diavolo, se ne ri-
tornò tutto lieto a casa.

LETTERE

[IL SAVONAROLA]

I

A RICCIARDO BECHI

(minuta)

Per darvi intero adviso delle cose di qua circa al frate,[1] secondo el desiderio vostro, sappiate che dopo le due prediche fatte, delle quali havete hauta già la copia, predichò la domenica del carnasciale, e dopo molte cose dette, invitò tutti i suoi a comunicarsi el dì di carnasciale in San Marco, e disse che voleva pregare Iddio che se le cose che egli haveva predette non venivano da lui, ne mostrassi evidentissimo segno; et questo fece, come dicono alcuni, per unire la parte sua e farla più forte a difenderlo, dubitando che la Signoria nuova già creata, ma non pubbligata, non gli fussi avversa. Pubblicata dipoi il lunedì la Signoria, della quale dovete havere havuta piena notizia, giudicandosela lui più che i dua terzi inimica, et havendo mandato il papa un breve che lo chiedeva, sotto pena d'interditione, e dubitando egli ch'ella non lo volessi ubbidire di fatto,[2] deliberò o per suo consiglio, o amunito da altri, lasciare il predicare in S. Reparata, e andarsene in San Marco. Pertanto il giovedì mattina, che la Signoria entrò,[3] disse in S. Reparata pure che per levare schandolo[4] e per servare l'honore di Dio, voleva tirarsi in dreto, e che gli huomini lo venissino a udire in S. Marco, e le donne andassino in S. Lorenzo a fra Domenico.[5] Trovatosi adunche il nostro frate in casa sua, hora havere udito con quale audacia e' cominciassi le sue prediche, e con quale egli le seguiti, non sarebbe di poca admiratione; perché dubitando egli

---

1. *al frate*: fra' Girolamo Savonarola. Ricciardo Bechi o Becchi era «oratore» di Firenze presso la Curia romana. Uomo, per quel poco che sappiamo di lui, curioso e accurato raccoglitore di notizie sui fatti contemporanei. 2. *dubitando . . .*: temendo (il Savonarola) che la Signoria non fosse per obbedire effettivamente a questa ingiunzione (*breve*) del papa di consegnargli il frate; la quale veniva dopo la seconda proibizione di Alessandro VI al Savonarola di predicare, e l'ordine di presentarsi a Roma per giustificarsi. Alla data di questa lettera la lotta va facendosi più serrata: di lì a pochi giorni (il 4 maggio 1497) il frate lancerà al papa la suprema sfida, cui risponderà la scomunica. 3. *entrò*: in carica, assumendo effettivamente il potere. 4. *schandolo*: pretesto di scandalo. 5. Rinuncia alle vere prediche pubbliche, limitandosi a parlare in chiesa, come si vedrà, in occasione del rituale commento al Vangelo.

forte di sé, e credendo che la nuova Signoria fussi al nuocergli inconsiderata,[1] e deliberato che assai cittadini rimanessino sotto la sua ruina,[2] cominciò con spaventi grandi, con ragione a chi non le discorre efficacissime,[3] mostrando essere optimi e sua seguaci, e gli adversari scelleratissimi, tochando tutti quei termini che fussino per indebolire la parte adversa e affortificare la sua; delle quali cose perché mi trovai presente qualcuna brevemente ritracterò.

Lo absunto della sua prima predica in S. Marco furono queste parole dello Esodo: *Quanto magis premebant eos, tanto magis multiplicabantur et crescebant*:[4] e prima che venissi alla dichiarazione di queste parole, mostrò per qual cagione egli si era ritirato indreto, e disse: *prudentia est recta ratio agibilium*.[5] Dipoi disse che tucti gli huomini avevono hauto e hanno un fine, ma diverso: de' cristiani el fine loro è Cristo, degli altri huomini, e presenti e passati, è stato ed è altro, secondo le sette loro. Intendendo adunche noi, che cristiani siamo, a questo fine che è Cristo, dobbiamo con somma prudentia e observantia de' tempi conservare lo honore di quello; e quando il tempo richiede esporre la vita per lui, esporla; e quando è tempo che l'huomo s'asconda, ascondersi, come si legge di Cristo e di S. Pagolo; e così, soggiunse, dobbiamo far noi, ed habbiamo fatto, perciocché quando fu tempo di farsi incontra al furore, ci siamo fatti, come fu il dì dell'Ascensione, perché così lo honor di Dio ed il tempo richiedeva; hora che lo honore di Dio vuole che si ceda all'ira, ceduto habbiamo.[6] E fatto questo breve discorso, fece dua stiere, l'una che militava sotto Iddio, che era lui e sua seguaci, l'altra sotto il diavolo, che erano gli adversari; e parlatone diffusamente, entrò nell'esposizione delle parole dello Esodo proposte, e disse che per le tribolazioni gli huomini buoni crescievono in duoi modi, in spirito e in numero; in spirito, perché l'huomo si unisce più con Dio, soprastandogli la verità, e di-

1. *fussi ... inconsiderata*: non usasse nessuna considerazione, riguardo, nel procedere contro di lui.   2. Cioè legando a sé e compromettendo il maggior numero possibile di cittadini.   3. *a chi non le discorre efficacissime*: di grande effetto per chi non ci ragiona su, per il volgo.   4. « Quanto maggiormente li opprimevano, tanto più si moltiplicavano e crescevano. »   5. « La prudenza è una giusta valutazione delle cose possibili. »   6. *ceduto habbiamo*: obbedendo, almeno formalmente, all'ordine di non predicare in pubblico. Il *dì dell'Ascensione* dell'anno precedente il Savonarola e i suoi seguaci avevano invece rintuzzato energicamente un tentativo dei « compagnacci » di sollevare un tumulto e assalirlo in chiesa.

venta più forte, come più presso al suo agente, come l'acqua calda
achostata al fuoco diventa caldissima, perché è più presso al suo
agente.[1] Crescono ancora in numero, perché ce sono di tre gene-
ratione huomini, cioè buoni, e questi sono quegli che mi seguitano,
perversi ed obstinati, e questi sono gli adversari.[2] È un'altra specie
di huomini di larga vita, dediti a' piaceri, né obstinati al mal fare,
né al ben fare rivolti, perché l'uno dall'altro non discernono; ma
chome[3] fra buoni e questi nasce alcuna dissensione di fatto, *quia
opposita juxta se posita magis elucescunt*,[4] conoscono la malitia de'
tristi, e la simplicità de' buoni, ed a questi si achostano e quelli
fuggono, perché naturalmente ognuno fugge il male e seguita il
bene volentieri, e però nelle adversità i tristi mancono e i buoni
moltiplicano; *et ideo quanto magis, etc.*[5] Io vi discorro brevemente,
perché l'angustia epistolare non ricerca lunga narratione. Disse poi,
entrato in vari discorsi, come è suo costume, per debilitare più gli
adversari, volendosi fare un ponte alla seguente predica, che le
discordie nostre ci potrebbero far surgere un tiranno che ci rui-
nerebbe le case e guasterebbe le terre; e questo non era già contro
a quello che egli haveva già detto, che Firenze havea a felicitare,
e dominare ad Italia, perché poco tempo si starebbe che sarebbe
cacciato; ed in su questo finì la sua predicazione.

L'altra mattina poi esponendo pure lo Esodo e venendo a quella
parte, dove dice che Moyses ammazzò uno Egiptio, disse che lo
Egiptio erano gli huomini cattivi, e Moises il predicatore che gli
ammazzava, scoprendo i vizii loro: e disse: O Egiptio, io ti voglio
dare una coltellata; e qui cominciò a squadernare i libri vostri,[6]
o preti, e tractarvi in modo che non n'arebbono mangiato i cani;[7]
dipoi soggiunse, e qui lui voleva capitare, che volea dare allo
Egiptio un'altra ferita e grande, e disse che Dio gli haveva detto,
che egli era uno in Firenze che cercava di farsi tiranno, e teneva
pratiche e modi perché gli riescisse: e che volere cacciare il frate,

1. *al suo agente*: all'elemento che l'ha animata. 2. Nella vivacità della
sua relazione il M. è passato qui al discorso diretto. 3. *chome*: non appena. 4. «Poiché le cose opposte accostate si fanno più evidenti.» 5. «E
perciò appunto, quanto maggiormente...» Il frate torna così alla propo-
sizione prima del suo discorso, con una specie di «Quod erat demon-
strandum», avendolo condotto, secondo la tradizione medievale, come
una dimostrazione logica in termini sillogistici. 6. *i libri vostri*: figurato,
come a dire, i registri dei vostri peccati. 7. ...*i cani*: cruda immagine di
gusto popolaresco, come oggi si direbbe, «li conciò da buttar via». Evidente, da come ne parla, la soddisfazione personale del M. a tali discorsi.

scomunicare il frate, perseguitare il frate,[1] non voleva dire altro se non che voler fare un tiranno; e che si osservassino le leggi. E tanto ne disse, che gli uomini poi il dì feciono pubblicamente co-niettura di uno, che è tanto presso al tiranno, quanto voi al cielo.[2] Ma havendo dipoi la Signoria scripto in suo favore al papa, e veggiendo che non gli bisognava temer più degli adversari suoi in Firenze, dove prima lui cercava di unire solo la parte sua[3] col detestare gli avversari, e sbigottirli col nome del tiranno, hora poi che vede non gli bisognar più, ha mutato mantello, e quegli all'unione principiata confortando, né di tiranno, né di loro scelle-ratezze più menzione facendo, di inanimirli tutti contro al sommo pontefice cerca, e verso lui e suoi morsi rivoltati, quello ne dice che di quale vi vogliate scelleratissimo huomo dire si puote; e così, secondo il mio giudizio, viene secondando i tempi, e le sue bugie colorendo.[4]

Hora quello che pel vulgo si dica, quello che gli huomini ne sperino o temino, a voi, che prudente sete, lo lascerò giudicare, perché meglio di me giudicare lo potete, conciosiacosaché e gli humori nostri, e le qualità de' tempi, e per essere costì, l'animo del pontefice appieno conoschiate. Solo di questo vi prego, che se non vi è paruto fatica leggere questa mia lettera, non vi paia anche fatica il rispondermi che iudizio di tale disposizione di tempi e d'animi circa le cose nostre facciate. *Valete.*

Datum Florentiae die VIIIÿ Martii MCCCCXCVII.

Vester Niccolò di M. Bernardo Machiavegli.

1. *il frate*: fra' Girolamo allude, naturalmente, a se stesso, la cui sorte egli lega alle sorti della libertà in Firenze. 2. Cioè interpretarono nel modo più sciocco le misteriose allusioni dell'oratore. 3. *di unire solo la parte sua*: di stringersi bene attorno soltanto il suo partito. 4. Le *bugie* del Savonarola consistono, secondo il M., nel fatto che le sue pre-diche obbediscono a ragioni opportunistiche e alla sua valutazione di un dato momento politico, mentre egli le dava per ispirate sempre diretta-mente da Dio. Ed è chiaro come ciò gli dia fastidio, e lo porti a un certo dispregio verso il frate, e più ancora verso la superstiziosa credulità dei suoi ascoltatori. Se confrontiamo ciò con quanto egli disse del Savonarola poi nel cap. VII del *Principe*, ma soprattutto nei *Discorsi* (I, 11 e 45, III, 30), dobbiamo concludere che vi fu in lui un progressivo approfondimento e una sempre maggior comprensione del sentimento religioso e del suo valore nella vita politica, che lo portò dalla iniziale antipatia a una vera e propria rispettosa ammirazione.

[GLI OZI DI VERONA]

II

A LUIGI GUICCIARDINI

Spectabili viro Luigi Guicciardini come fratello[1] car.mo
in Mantova.

Data in casa Giovanni Borromei.

Carissimo Luigi. Io ho hauto hoggi la vostra de' 25 che mi ha
dato più dispiacere che se io havessi perduto el piato,[2] intendendo
a Jacopo essere ritornata un poco di febbre: pure la prudentia
vostra, la diligentia di Marco, la virtù de' medici, la pazienza e
bontà di Jacopo mi fa stare di buona voglia, e credere che voi la
caccierete come una puttanaccia, miccia, porca, spacciata che la è;
e per la prima vostra aspecto intendere ne siate iti, a dispecto suo,
tucti allegri ad la volta di Firenze.

Io sono qui in Isola secha[3] come voi, perché qui si sa nulla di
nulla; e pure, per parere vivo, vo ghiribizzando intemerate che io
scrivo a' Dieci,[4] e mandovi la loro lettera disugellata; la quale,
letta ad tucti, la darete ad Giovanni la mandi per la prima staffecta
che 'l Pandolfino scrive, o come ad lui parrà. E me li raccoman-
derai, dicendogli che io mi sto qui con el suo Stefano, e attendo
ad godere. Sarei ito ad la corte, ma el Lango non vi è, ad chi ho
la lettera di credenza;[5] e ad l'imperadore non ho lettere, sì che
io potrei essere preso per spia: dipoi ogni dì si è detto che viene
qui, e tucti questi mammalucchi che seguirono la corte, sono da
capo qui.

1. *come fratello*: formula abituale di affettuosa cortesia, che si usava per
lo più in latino (cfr. oltre, *tamquam fratri*). Questo Luigi Guicciardini,
fratello del tanto più famoso Francesco, uomo facoltoso e colto, fu assai
legato al M. che gli dedicò il *Capitolo dell'ambizione*. Fu anche Gonfaloniere in Firenze, e lasciò una descrizione del *Sacco di Roma* che fu per
molto tempo attribuita a Francesco.   2. *perduto el piato*: persa una causa.
3. *in Isola secha*: modo scherzoso, «nelle secche».   4. Arguta allusione
alle vere e proprie strapazzate che il M. usava infliggere ai suoi Dieci o
ad altri corpi della Signoria, per la loro scarsa chiaroveggenza, ogni volta
che gli si presentava l'occasione. Si trovava in Verona, incaricato d'una
missione presso l'imperatore Massimiliano che, come dirà avanti, doveva
arrivare in quella città da un giorno all'altro.   5. Il cancelliere imperiale
Matteo Lang, pel quale aveva la «credenziale».

Ho caro habbiate mandate quelle fedi ad Firenze, di che meritate una grande commendatione ad presso Dio e·li huomini del mondo.

Se voi scrivete ad messer Francesco vostro, ditegli che mi raccomandi ad la combriccola. Sono vostro, vostrissimo; e quanto al comporre io penso tuctavia ciò.[1] Addio.

Addì 20 di Novembre 1509.

Niccolò Machiavegli
Secret. apud Cesarem.

III

A LUIGI GUICCIARDINI

*Spectabili viro Luigi Guicciardini in Mantova
tamquam fratri carissimo.*

Affogàggine, Luigi; e guarda quanto la fortuna in una medesima faccenda dà ad li huomini diversi fini.[2] Voi fottuto che voi havesti colei, vi è venuta voglia di rifotterla, e ne volete un'altra presa. Ma io, stato fui qua parechi dì, accecando per carestia di matrimonio, trovai una vecchia che m'imbucatava le camicie, che sta in una casa che è più di meza sotterra, né vi si vede lume se non per l'uscio: e passando io un dì di quivi, la mi riconobbe e factomi una gran festa, mi disse che io fussi contento andare un poco in casa, che mi voleva mostrare certe camicie belle se io le volevo comperare. Onde io, nuovo cazo[3] me lo credetti e giunto là vidi al barlume una donna con uno sciugatoio tra in sul capo ed in sul viso che faceva el vergognoso, e stava rimessa in uno canto.

1. È chiaro che il suo corrispondente gli aveva raccomandato di usare quegli ozi per darsi alle sue composizioni poetiche (il *comporre*), e il M. lo rassicura annuendo. Questa allusione, assieme all'altra sulla fine della lettera seguente, indusse alcuni a congetturare che egli lavorasse in quel tempo precisamente alle terzine del suo *Decennale secondo*; e anche noi siamo propensi a crederlo.   2. La violenta e allegra imprecazione con cui si apre la lettera, ne imposta subito il tono.   3. *nuovo cazo*: da vero minchione. *Nuovo*, che già per sé voleva dire anche semplicione, rinforza in questo caso il secondo termine; per il quale si potrebbe anche pensare a un'influenza del linguaggio popolare veneto, col quale il M. era a contatto.

Questa vecchia ribalda mi prese per mano e menatomi ad colei
dixe: — Questa è la camicia che io vi voglio vendere, ma voglio la
proviate prima, e poi la pagherete. — Io, come peritoso che io
sono,[1] mi sbigottì tucto: pure rimasto solo con colei ed al buio,
perché la vecchia si uscì subito di casa e serrò l'uscio, per abbre-
viare, la fotte' un colpo e benché io le trovassi le coscie vize et
la fica umida e che le putissi un poco el fiato, nondimeno tanta
era la disperata foia che io havevo, che la n'andò. E facto che io
l'ebbi, venendomi pure voglia di vedere questa mercatantia, tolsi
un tizone di fuoco d'un focolare che v'era e accesi una lucerna
che vi era sopra; né prima el lume fu apreso che 'l lume fu per
cascarmi di mano. Omè, fu' per cadere in terra morto, tanto era
bructa quella femina. E' se le vedeva prima un ciuffo di capelli
fra bianchi e neri cioè canuticci e benché l'avessi al cocuzolo del
capo calvo, per la cui calvitie ad lo scoperto si vedeva passeggiare
qualche pidochio, nondimeno pochi capelli e rari le aggiugnevono
con le barbe loro fino in su le ciglia; e nel mezzo della testa piccola e grinzosa haveva una margine di fuoco, ché la pareva bollata ad la colonna di Mercato;[2] in ogni puncta delle ciglia di
verso li ochi haveva un mazeto di peli pieni di lendini; li ochi li
aveva uno basso ed uno alto ed uno era maggiore che l'altro,
piene le lagrimatoie di cispa ed enipitelli di pilliciati: il naso li
era conficto sotto la testa aricciato in sù, e l'una delle nari ta-
gliata piene di mocci; la bocca somigliava quella di Lorenzo de'
Medici,[3] ma era torta da uno lato e da quello n'usciva un poco
di bava, ché per non haver denti non poteva ritener la sciliva; nel
labbro di sopra haveva la barba lunghetta ma rara: el mento haveva
lungo aguzato, torto un poco in su, dal quale pendeva un poco
di pelle che le adgiugneva infino ad la facella della gola. Stando
adtonito ad mirar questo mostro, tucto smarrito, di che lei accor-
tasi volle dire: — Che havete voi messere? — ma non lo dixe perché era scilinguata;[4] e come prima aperse la bocca n'uscì un fiato

---

1. *come peritoso*...: timido come sono di natura. Altra facile battuta burlesca.   2. Cioè bollata a fuoco in pubblico, come facevano i maniscalchi
con bovine o cavalli, legati alle colonne di Mercato Vecchio, durante le
fiere.   3. Bocca larga e sottile come una fenditura, appunto come quella
già divenuta proverbiale di Lorenzo il Magnifico.   4. *scilinguata*: non a
posto, impedita nello scilinguagnolo, nel parlare. Qui la rappresentazione,
evidentemente caricata secondo i modelli più correnti della poesia burlesca, assume toni sempre più violenti.

sì puzzolente, che trovandosi offesi da questa peste due porte di
dua sdegnosissimi sensi, li ochi e il naso, e messi ad tale sdegno,
che lo stomaco per non poter sopportare tale offesa tucto si com-
mosse e, com·nosso oprò sì, che io le rece' addosso; e così pa-
gata di quella moneta che la meritava ni partii. E per il cielo
che io darò,[1] io non credo, mentre starò in Lombardia, mi torni
la foia; e però voi ringratiate Iddio della speranza havete di ri-
trovar tanto dilecto, e io lo ringratio che ho perduto el timore
di havere mai più tanto dispiacere.

Io credo che mi avanzerà di questa gita qualche danaio, et vorre'
pur giunto ad Firenze fare qualche trafficuzzo. Ho disegnato fare
un pollaiolo, bisognami trovare un maruffino, che me lo governi:[2]
intendo che Piero di Martino è così subficiente, vorrei intendessi
da lui se ci ha el capo, e rispondetemi; perché quando e non voglia,
io mi procaccierò d'uno altro.

De le nuove di qua ve ne satisfarà Giovanni: salutate Jacopo e
raccomandatemi ad lui, e non sdimenticate Marco.

In Verona die VIII Decembris 1509.

Aspecto la risposta di Gualtieri ad la mia cantafavola.[3]

Nicolo Machiavegli.

1. *per il cielo che io darò*: sono disposto a cedere il mio posto in paradiso,
se mai . . . 2. Non si ha nessun'altra notizia di questo curioso progetto,
che dobbiam credere rimasto allo stato di fantasia, del Nostro, di darsi
al commercio del pollame, sia pure per mezzo di un intermediario (*maruffino* era in origine il commesso di bottega nell'arte della lana o della seta, quindi, in genere, chi gestiva in rappresentanza del padrone).
3. Per *cantafavola* v. nota 1 sulla fine della lett. prec. — La presente lettera, assai famosa, ha dato luogo alle più contrastanti considerazioni: da
quelli che ne trassero argomento per hotare nel M. una quasi incredibile
e più o meno latente grossolanità nelle cose sessuali, ad altri che per scu-
sarlo avanzarono l'ipotesi che il fatto fosse addirittura inventato. Certo
appare innegabile, nei particolari sforzati e violenti, l'influenza della tradizione letteraria dei sonetti burleschi, *canti carnascialeschi* e *capitoli*: di
quella poesia che di lì a poco si chiamerà « bernesca », e che giungeva spesso
a un notevole grado di pittoresco ribrezzo. Ma d'altra parte sembra di dover
osservare qui l'esempio forse più cospicuo di quella certa tendenza del
M. ad abbandonarsi alla propria eccezionale capacità e vivacità rappre-
sentativa, seguendo per così dire le sue stesse parole al di là d'ogni vera
« convenienza », e non soltanto in senso moralistico.

[LA FINE DELLA REPUBBLICA]

'V

AD ALFONSINA ORSINI DE' MEDICI[1]

(*minuta*)

Poiché V.ra S.ria vuole, illustrissima madonna, intendere queste
nostre novità di Toscana, seguite ne' prossimi giorni, io liene nar-
rerò volentieri, sì per satisfarle, sì per havere i successi di quelle
honorati li amici di V. S.ria Ill.ma e patroni miei; le quali due
cagioni cancellano tutti li altri dispiaceri hauti,[2] che sono infiniti,
come nello ordine della materia, V. S.ria intenderà.

Concluso che fu nella dieta di Mantova di rimettere i Medici
in Firenze,[3] partito il viceré per tornarsene a Modona, si dubitò
in Firenze assai che 'l campo spagnolo non venissi in Toscana:
non di mancho non ce ne essendo altra certezza, per havere go-
vernate nella dieta le cose secretamente, e non possendo credere
molti che il papa volessi che l'esercito spagnuolo turbassi quella
provincia, intendendosi massime per lettere di Roma non essere
intra li Spagnoli e il papa una grande confidenza, stemo con lo
animo sospesi sanza fare altra preparazione, infino a tanto che da
Bologna venne la certezza del tutto. Ed essendo già le genti ini-
miche propinque alli confini nostri ad una giornata, turbossi in
uno tratto da questo subito assalto, e quasi insperato,[4] tutta la

---

1. Veramente il nome della destinataria di questa lettera (di cui non si
sa neppure con certezza se sia stata spedita) fu supposto da Giuliano de'
Ricci. È chiaro che si tratta di una gentildonna della famiglia dei Medici,
che aveva espresso il desiderio di essere informata su quanto era avvenuto
in Firenze in quelle drammatiche settimane fra l'agosto e il settembre del
1512. E altrettanto chiaro è che il M. pensò di coglier l'occasione — pur
senza tradire la verità dei fatti e nascondere la sua desolazione di buon
cittadino — per mostrarsi affezionato alla famiglia, evitando così se possibile rappresaglie da parte del nuovo regime. Alfonsina Orsini de' Medici era vedova di Piero (il figlio di Lorenzo il Magnifico) e perciò madre
di quel Lorenzo de' Medici che diventerà di lì a non molto l'effettivo signore della città, in luogo dei suoi zii Giovanni (presto papa come Leone X)
e Giuliano (morto nel 1516). Altri ha avanzato l'ipotesi che la lettera sia
stata rivolta invece alla di lei figlia Clarice, sposa di quel Filippo Strozzi
che si mostrò sempre amico e devoto al M.   2. *dispiaceri hauti*: s'intende, non soltanto di lui personalmente, ma da tutta la città. Chiaro
l'intento propiziatorio di questa affermazione.   3. A opera di Giulio II,
protettore dei Medici e nemico della Repubblica fiorentina, specie per
l'appoggio dato da essa a Luigi XII di Francia nella guerra tuttora in corso della cosiddetta Lega Santa.   4. *insperato*: inaspettato.

città; e consultato quello che fussi da fare, si deliberò con quanta più prestezza si potessi, non possendo essere a tempo a guardare e passi de' monti, mandare in Firenzuola, castello in su' confini tra Firenze e Bologna, 2000 fanti, acciochè li Spagnuoli per non si lasciare adrieto così grossa banda, si volgessino alla espugnazione di quello luogo, e dessino tempo a noi d'ingrossare di gente e potere con più forze obstare alli assalti loro: le quali gente[1] si pensò prima di non le mettere in campagna, per non le giudicare potente a resistere alli inimici, ma fare con quelle testa a Prato, castello grosso e posto nel piano e nelle radicie dei monti che scendono dal Mugello, e propinquo a Firenze a dieci miglia, giudicando quello luogo essere capace dello esercito loro e potervi stare sicuro, e per esser propinquo a Firenze potere ogni volta soccorrerlo, quando li Spagnoli fossino iti a quella volta. Fatta questa deliberazione, si mossono tutte le forze per ridurle ne' luoghi disegnati; ma il vicerè, la intenzione del quale era non combattere le terre, ma venire a Firenze per mutare lo stato, sperando con la parte[2] posserlo fare facilmente, si lasciò indreto Firenzuola, e passato l'Apennino scese a Barberino di Mugello, castello propinquo a Firenze a diciotto miglia, dove sanza contrasto tutte le castella di quella provincia, sendo abbandonate d'ogni presidio, riceverno i mandamenti suoi, e provederono il campo di vettovaglie secondo le loro facultà. Sendosi intanto a Firenze condotto buona parte di gente, e ragunato i condottieri delle genti di arme e consigliatosi con loro la difesa contro a questo assalto, consigliorono non essere da far testa a Prato, ma a Firenze, perché non giudicavono potere, rinchiudendosi in quello castello, resistere al vicerè, del quale non sapiendo ancora le forze, certo possevano credere che venendo tanto animosamente in questa provincia, le fussino tali che ad quelle il loro esercito non potessi resistere; e però stimavono il ridursi a Firenze più securo, dove e con l'aiuto del popolo erano sufficienti a difendere quella città, e potere con questo ordine tentare di tenere Prato, lasciandovi uno presidio di tremila persone. Piacque questa deliberazione, e in specie al gonfaloniere, giudicandosi più securo e più forte contro alla parte,

---

1. *le quali gente*: gli armati così frettolosamente riuniti e accresciuti. Nerbo di tali forze erano proprio quelle infelici milizie del contado fiorentino che stavano tanto a cuore al M.   2. *con la parte*: con le forze del partito mediceo, cui si eran rinfocolate le speranze.

quanto più forze havessi drento apresso di sé. E trovandosi le cose in questi termini, mandò il vicerè a Firenze suoi ambasciatori, i quali esposono alla Signoria, come non venivono in questa provincia inimici, né volevono alterare la libertà della città, né lo stato di quella, ma solo si volevono assicurare di lei che si lasciassi le parti franzesi e aderissesi ad la lega;¹ la quale non giudicava possere stare secura di questa città, né di quanto se gli promettessi, stando Piero Soderini gonfaloniere, havendolo conosciuto partigiano de' Franzesi, e però voleva che deponessi quel grado, e che il popolo di Firenze ne facessi uno altro come gli paressino. Al che rispose il gonfaloniere che non era venuto a quel segno né con inganno né con forza, ma che vi era stato messo dal popolo; e però se tutti li re del mondo raccozzati insieme gli comandassino lo deponessi, che mai lo deporrebbe; ma se questo popolo volessi, che lui se ne partissi, lo farebbe così volentieri, come volentieri lo prese, quando senza sua ambizione li fu concesso. E per tentare l'animo dello universale, come prima fu partito l'ambasciatore, ragunò tutto il consiglio e notificò loro la proposta fatta, ed offersesi quando al popolo così piacesse, e che essi giudicassino che della partita sua ne havessi a nascere la pace, era per andarsene a casa, perché non havendo egli mai pensato se non a beneficare la città, gli dorrebbe assai che per suo amore la patissi. La quale cosa unitamente da ciascuno li fu denegata, offrendosi da tutti di mettere insino alla vita per la difesa sua.²

Seguì in questo mezzo che il campo spagnuolo si era presentato a Prato, e datovi un grande assalto; e non lo potendo espugnare, cominciò sua Ex.tia³ a trattare dello accordo con lo oratore fiorentino, e lo mandò a Firenze con uno suo, offerendo di esser contento a certa somma di danari; e de' Medici si rimettessi la causa nella cattolica Maestà, che potessi pregare et non forzare i Fiorentini a riceverli. Arrivati con questa proposta gli oratori, e riferito le cose delli Spagnoli deboli, allegando che si morieno di fame, e che Prato era per tenersi, messe tanta confidenza nel

1. *la lega*: la Lega Santa. 2. Riferendo questo fatto (che è storicamente appurato) il M. ha quasi l'aria di rimproverare il Soderini e i governanti di Firenze, per non aver preso prontamente in parola le offerte del viceré spagnolo che comandava le truppe della Lega. Ma la presenza al suo fianco del cardinale Giovanni de' Medici basterebbe a farci capire che si doveva trattare di pure lusinghe, per avere più facilmente in mano la città. 3. *sua Ex.tia*: sua Eccellenza il viceré di Napoli.

gonfaloniere e nella moltitudine, con la quale lui si governava,
che benché quella pace fussi consigliata da' savi,[1] *tamen* il gonfaloniere l'andò dilatando tanto, che l'altro giorno poi venne la
nuova essere preso Prato, e come li Spagnuoli, rotto alquanto di
muro, cominciorono a sforzare chi difendeva, e a sbigottirgli; in
tanto ché dopo non molto di resistenza tutti fuggirono, e li Spagnuoli, occupata la terra, la saccheggiorno, ed ammazzorno li huomini di quella con miserabile spettacolo di calamità. Né a V. S.ria
ne riferirò i particolari per non li dare questa molestia d'animo;
dirò solo che vi morirono meglio che quattromila huomini, e li
altri rimasono presi e con diversi modi costretti a riscattarsi; né
perdonarono a vergini rinchiuse ne' luoghi sacri, i quali si riem-
pierono tutti di stupri et di sacrilegi.[2]

Questa novella diede gran perturbazione alla città, non di manco
il gonfaloniere non si sbigottì, confidatosi in su certe sue vane ope-
nioni. E pensava di tenere Firenze e accordare gli Spagnuoli con
ogni somma di danari, pure che si escludessero i Medici. Ma
andata questa commessione, e tornato per risposta come li era
necessario ricevere i Medici, o aspettare la guerra, cominciò ciascuno a temere del sacco, per la viltà che si era veduta in Prato
ne' soldati nostri; il qual timore cominciò ad essere accresciuto
da tutta la nobiltà, che desideravono mutare lo stato, in tanto che
il lunedì sera a dì 30 di agosto a due hore di notte, fu dato commessione alli oratori nostri di appuntare[3] col viceré ad ogni modo. E crebbe tanto il timore di ciascuno, che il palazzo e le guardie
consuete che si faciono dalli huomini di quello stato, le abbando-
norono, e rimaste nude di guardia, fu costretta la Signoria a re-
lassare molti cittadini, e quali sendo giudicati sospetti e amici a'
Medici, erano suti ad buona guardia più giorni in palazzo ritenuti;
i quali, insieme con molti altri cittadini de' più nobili di questa
città, che desideravono di rihavere la reputazione loro, presono
animo; tanto, che il martedì mattina vennero armati a palazzo, e
occupati tutti i luoghi per sforzare il gonfaloniere a partire, furno
da qualche cittadino persuasi a non fare alcuna violenzia, ma la-

---

1. Vedi quanto è detto nella nota 2 alla pagina precedente.   2. Quell'or-
rendo «sacco di Prato», dovuto alle avide e feroci bande spagnole, ebbe
grande risonanza di costernazione; e invece di eccitare gli animi dei Fiorentini, li avvilì tanto maggiormente, come lo scrivente ci fa subito sapere.
3. *appuntare*: fare un accordo.

sciarlo partire d'accordo. E così il gonfaloniere accompagnato da
loro medesimi se ne tornò a casa, e la notte venente con buona
compagnia di consentimento de' signori, si condusse a Siena.

A questi magnifici Medici, udite le cose successe, non parve di
venire in Firenze, se prima non havieno composte le cose della
città con il viceré, con il quale doppo qualche difficultà feciono
l'accordo; ed entrati in Firenze sono stati ricevuti da tutto questo
popolo con grandissimo honore.[1]

Essendosi in quel tanto in Firenze fatto certo nuovo ordine di
governo, nel quale non parendo al viceré che vi fosse la sicurtà
della casa de' Medici né della lega, significò a questi signori, essere necessario ridurre questo stato nel modo era[2] vivente il magnifico Lorenzo. Desideravono li cittadini nobili satisfare a questo,
ma temeano non vi concorresse la moltitudine; e stando in questa
disputa come si havessono a trattare queste cose, entrò il legato
in Firenze, e con sua signoria vennono assai soldati, e massime
italiani: ed havendo questi signori ragunato in palazzo a dì 16
del presente più cittadini, e con loro era il magnifico Giuliano, e
ragionando della riforma del governo, si levò a caso certo romore
in piazza, per il quale il Ramazzotto con li suoi soldati ed altri
presono il palazzo, gridando *palle palle*. E subito tutta la città fu
in arme, e per ogni parte della città risuonava quel nome; tanto
che e signori furono costretti chiamare il popolo a concione, quale
noi chiamiamo parlamento, dove fu promulgata una legge, per la
quale furono questi magnifici Medici reintegrati in tutti gli honori
e gradi de' loro antenati. E questa città resta quietissima, e spera
non vivere meno honorata con l'aiuto loro che si vivesse ne' tempi
passati, quando la felicissima memoria del magnifico Lorenzo loro
padre governava.[3]

Havete adunque, illustr.ma madonna, il particolare successo de'
casi nostri, nel quale non ho voluto inserire quelle cose che la
potessero offendere come miserabili e poco necessarie: nell'altre
mi sono allargato quanto la strettezza di una lettera richiede. Se

1. Entrarono, quindi, il cardinale Giovanni e suo fratello Giuliano, in veste
di salvatori della città dalla così pericolosa soldatesca spagnola. 2. *nel
modo era*: nella situazione in cui era. 3. Lo scrivente, benché sottolinei
con evidente premura la «quiete» portata nella città dal ristabilimento
dei Medici, non nasconde però il grave atto di violenza fatto alla Signoria e alla volontà popolare.

io harò satisfatto a quella ne sarò contentissimo; quando che no,
priego V. S. Il.ma mi habbia per iscusato. *Quae diu et foelix valeat.*[1]

[LE «COSE DEL MONDO»]

V

A FRANCESCO VETTORI[2]

*Magnifico viro Francisco Victorio oratori florentino dignissimo
apud Summum Pontificem.*

Romae

Magnifice vir. Come da Pagolo Vettori harete inteso, io sono
uscito di prigione con letizia universale di questa città, non ostante
che per l'opera di Pagolo e vostra io sperassi il medesimo, di che
vi ringrazio.[3] Né vi replicherò la lunga historia di questa mia disgrazia; ma vi dirò solo che la sorte ha fatto ogni cosa per farmi
questa iniuria: pure, per grazia di Dio, ella è passata. Spero non
c'incorrere più, sì perché sarò più cauto,[4] sì perché i tempi saranno più liberali, e non tanto sospettosi.

1. Nonostante l'animo remissivo dimostrato in questa lettera, e la viva
speranza del M. di poter rimanere nel suo ufficio (come avvenne al segretario generale della Signoria, il vacuo umanista Marcello Adriani), egli,
troppo compromesso come amico e consigliere dei Soderini e zelatore della
libertà, venne rimosso da ogni ufficio e proibito di uscire per un anno dal
territorio della Repubblica, in data 7 novembre 1512.   2. Già compagno
del M. in missioni diplomatiche, legato a lui da viva simpatia, facoltoso
cittadino, acuto e di liberi sentimenti, ma prudentissimo come condotta
politica, il Vettori, che era ambasciatore (*oratore*) della Repubblica presso
la Santa Sede prima del rivolgimento del 1512, era stato lasciato in quel
posto dai Medici.   3. Come è noto, il M., per essersi trovato il suo nome in una lista compilata dai due giovani congiurati Pietro Paolo Bo-
scoli e Agostino di Luca Capponi, venne con essi imprigionato sulla
fine del febbraio del 1513, e trattenuto circa quindici giorni, con sgra-
devoli interrogatori accompagnati da qualche tratto di corda. Fu liberato abbastanza prontamente (mentre i due giovani venivano giustiziati
con severità che parve eccessiva), per l'interessamento del magnifico Giuliano, fratello minore del cardinale Giovanni che proprio in quei giorni
(11 marzo 1513) diventava papa col nome di Leone X.   4. *perché sarò più
cauto*: questa affermazione, che sembrerebbe gratuita non avendo il M.
fatto nulla contro i Medici dopo il loro rientro, unita a una certa frase
che già abbiamo visto, d'un sonetto da lui scritto in tale occasione, ha fatto
pensare che proprio in quel tempo egli avesse proseguito e divulgato i suoi
componimenti poetico-satirici sulle condizioni dell'Italia e di Firenze: le
terzine del *Decennale secondo* e fors'anche quelle dell'*Asino d'oro*, contenenti
qualche vivace tratto contro i Medici; ma l'ipotesi ha ben poco fondamento.

Voi sapete in che grado si trova messer Totto nostro.¹ Io lo raccomando a voi e a Pagolo generalmente. Desidera solo lui ed io
questo particulare di esser posto in fra i famigliari del papa, ed
essere scritto nel suo rotolo, ed havere la patente, di che vi pre-
ghiamo.

Tenetemi, se è possibile, ne la memoria di nostro Signore,² che,
se possibil fosse, mi cominciasse a adoperare, o lui o i suoi, a
qualche cosa, perché io crederei fare honore a voi ed utile a me.

Die 13 Martii 1512.

Vostro Niccolò Machiavelli, in Firenze.

VI

FRANCESCO VETTORI A NICCOLÒ MACHIAVELLI

Al mio caro chompare Nicoló di M. Bernardo Machiavelli.

In Firenze.

*Compare mio charo. Da otto mesi in qua io ho havuto i maggiori
dolori che io havessi mai in tempo di mia vita, e di quelli anchora che
voi non sapete; nondimeno non ho avuto il maggiore, che quando
intesi voi essere preso, perché subito iudicai che sanza errore o causa
havessi ad havere tortura, chome è riuscito. Duolmi non vi havere
potuto aiutare, chome meritava la fede havevi in me, e mi dette dispiacere assai quando Totto vostro mi mandò la staffetta, ed io non vi
potei giovare in cosa alcuna. Lo feci come fu creato il papa, e non gli
domandai altra gratia che la liberatione vostra, la quale ho molto
caro fosse seguita prima. Hora, compare mio, quello vi ho ad dire
per questa è che voi facciate buon cuore a questa persecutione, come
havete fatto all'altre che vi sono state fatte; e speriate che poiché
le cose sono posate, e che la fortuna di costoro supera ogni fantasia
e discorso, di non havere a stare sempre in terra; e che poi siate libero da tutti i confini, se io harò a stare qui, che non lo so, voglio ven-
ghiate a starvi qua a piacere, quel tempo vorrete. Scriverovvi, quando
harò l'animo posato, se ci harò a stare, di che dubito, perché credo sa-*

---

1. *Totto nostro:* un fratello del Machiavelli, anch'egli bisognoso di aiuto.
2. *nostro Signore:* il papa, cui, come a mecenate, il M. sperava di riuscir
gradito anche in qualità di letterato.

*ranno huomini di altra qualità che non sono io, che ci vorranno
stare, e io harò pazienza a tutto.*

   *Filippo nostro è giunto qui hoggi, che è venuto in poste da Poggi-
bonsi in quattro dì, stracco, rotto, rovinato, e questa sera non è
suto possibile entri dal Papa, perché messer Giovanni Cavalcanti non
l'ha lasciato. Né ho a dire altro se non raccomandarmi a voi.*

Romae, die 15 Martii 1512.

Franciscus.

VII

A FRANCESCO VETTORI

   Magnifico viro Francisco Victorio ecc.

Romae.

Magnifice orator. La vostra lettera tanto amorevole mi ha fatto
sdimenticare tutti gli affanni passati, e benché io fussi più che
certo dell'amore che mi portate, questa lettera mi è stata gratissima. Ringraziovi quanto posso, e prego Iddio che con vostro utile
e bene mi dia facoltà di potervene essere grato, perché posso dire
tutto quello che mi avanza di vita riconoscerlo dal magnifico Giuliano e da Pagolo vostro. E quanto al volgere il viso alla fortuna,
voglio che habbiate di questi miei affanni questo piacere, che gli
ho portati tanto francamente, che io stesso me ne voglio bene, e
parmi essere da più che non credetti; e se parrà a questi padroni
miei non mi lasciare in terra, io l'harò caro, e crederò portarmi
in modo che haranno ancora loro cagione di haverlo per bene;
quando non paia, io mi viverò come io ci venni, che nacqui povero, ed imparai prima a stentare che a godere. E se vi fermerete
costà, mi verrò a passar tempo con voi, quando me ne consigliate.
E per non esser più lungo, mi raccomando a voi e a Pagolo, al
quale non scrivo, per non sapere che me gli dire altro.

   Io comunicai il capitolo di Filippo[1] a certi amici comuni, quali
si rallegrarono che fusse giunto costà a salvamento. Dolsonsi bene
della poca estimazione e conto ne tenne messer Giovanni Caval-

---

   1. *il capitolo di Filippo*: il passo della precedente lettera, che riguarda la
mala ventura incontrata a Roma dal comune amico Filippo Casavecchia,
uomo spiritoso e di una certa cultura, nonché di mali costumi, che viveva
praticamente come parassita del Vettori.

canti;[1] e pensando d'onde questo caso potesse nascere, hanno trovato che il Brancaccio disse a messer Giovanni, che Filippo haveva
in commissione dal fratello di raccomandare al papa Giovanni di
ser Antonio, e per questo non lo volle ammettere; e biasimono molto Giuliano[2] che havesse messo questo scandolo, quando non fosse
vero; e se gli era vero, biasimono Filippo che pigliasse certe cure
disperate, siché avvertitelo che un'altra volta sia più cauto. E
dite a Filippo che Niccolò degli Agli lo trombetta per tutto Firenze, e non so d'onde nasca, ma sanza rispetto, e senza perdonare
a nulla gli dà carico in modo, che non è huomo che non se ne
maravigli. Siché avvertite Filippo che se sa la cagione di questa
nimicizia, la medichi in qualche modo; e pure ieri mi trovò, e
haveva una lista in mano, dove erano notate tutte le cicale[3] di Firenze, e mi disse che le andava soldando che dicessin male di
Filippo, per vendicarsi. Io ve ne ho voluto avvisare, ad ciò ne lo
avvertiate, e mi raccomandiate a lui.

   Tutta la compagnia si raccomanda a voi, cominciandosi da Tommaso del Bene, e andando insino a Donato[4] nostro; e ogni dì siamo
in casa qualche fanciulla per rihavere le forze, e pure ieri stemmo
a vedér passare la processione in casa la Sandra di Pero; e così
andiamo temporeggiando in su queste universali felicità, goden-
doci questo resto della vita, che me la pare sognare. *Valete.*

   In Firenze, addì 18 Marzo 1512. (1513).

                                             Niccolò Machiavelli.

---

1. Che non lo volle introdurre dal papa, come è detto nella lettera già
accennata.   2. *Giuliano*: il suddetto Brancaccio (o Brancacci), un altro
della compagnia.   3. *le cicale*: i cicaloni, chiacchieroni.   4. Donato del
Corno, mercante ricco e di allegro carattere, la cui bottega era un po' il
centro di queste « baie ». Da altre lettere fra il M. e il Vettori sappiamo
che questi, avendo prestato 500 ducati al magnifico Giuliano, sperava con
tal favore, e magari spendendone altri, di riuscire una volta a essere eletto fra i Signori: cosa a cui teneva molto, « purché gli esca una volta di
plebeo ».

VIII

A FRANCESCO VETTORI

Magnifico oratori apud Summum Pontificem
Francisco Victorio.

Romae.

Magnifice domine orator.

> Et io che del color mi fui accorto
> dissi: Come verrò se tu paventi,
> che suoli al mio dubbiar esser conforto?[1]

Questa vostra lettera mi ha sbigottito più che la fune,[2] e duolmi
di ogni opinione che voi habbiate che mi alteri, non per mio conto,
che mi sono acconcio a non desiderare più cosa alcuna con passione, ma per vostro. Priegovi che voi imitiate gli altri, che con
improntitudine e astuzia, più che con ingegno e prudenzia, si
fanno luogo; e quanto a quella novella di Totto, la mi dispiace
se la dispiace a voi. Per altro io non ci penso, e se non si può ruo-
tolare, voltolisi; e per sempre vi dico, che di tutte le cose vi richie-
dessi mai, che voi non ne pigliate briga alcuna, perché io non le
havendo non ne piglierò passione alcuna.[3]

Se vi è venuto a noia il discorrere le cose,[4] per veder molte volte
succedere i casi fuori de' discorsi e concetti che si fanno, havete
ragione, perché il simile è intervenuto a me. Pure se io vi potessi
parlare, non potrei fare che io non vi empiessi il capo di castel-
lucci, perché la fortuna ha fatto, che non sapendo ragionare né
dell'arte della seta, né dell'arte della lana, né dei guadagni né delle
perdite, e' mi conviene ragionare dello stato, e mi bisogna o botarmi di star cheto, o ragionare di questo.[5] Se io potessi sbucare

1. *Inferno*, IV, 16-18. 2. *più che la fune*: più dei tratti di corda, che aveva
dovuto sopportare poco tempo prima (cfr. qui lettera del 13 marzo e nota
3). 3. Da precedenti lettere, qui omesse, si ricava che M. aveva pregato
il Vettori e di raccomandarlo al nuovo papa di casa Medici, Leone X, e di
cercare di far assegnare un impiego nella Corte pontificia ad un loro
comune amico. Il Vettori rispose mostrandosi addoloratissimo di non
esser riuscito a buon fine né dell'una cosa né dell'altra; e M., in gara d'affettuosa cortesia, si dichiara più che altro dolente di questo dispiacere
dell'amico. 4. *le cose*: le cose del mondo, cioè gli avvenimenti politici.
5. *botarmi di star cheto*...: votarmi al silenzio, come in certi Ordini religiosi.
È l'espressione più semplice e diretta che abbiamo della « vocazione » del

del dominio,[1] io verrei pure anch'io a dimandare se il papa è in casa; ma fra tante grazie, la mia per mia trascurataggine restò in terra. Aspetterò il settembre.

Intendo che il cardinale Soderini fa un gran dimenarsi col pontefice. Vorrei che mi consigliaste, se vi paressi che fusse a proposito gli scrivessi una lettera, che mi raccomandasse a sua Santità; o se fosse meglio che voi faceste a bocca quest'uffizio per mia parte con il cardinale; o vero se fosse da non far nulla né dell'una né dell'altra cosa, di che mi darete un poco di risposta.[2]

Quanto al cavallo, voi mi fate ridere a ricordarmelo, perché me lo havete a pagare quando me ne ricorderò et non altrimenti.

Il nostro arcivescovo[3] a quest'ora debbe esser morto, che Iddio habbia l'anima sua e di tutti i sua. *Valete.*

In Firenze, a' dì 9 d'Aprile 1513.

Niccolò Machiavelli
quondam Secret.

IX

FRANCESCO VETTORI A NICCOLÒ MACHIAVELLI

(estratto)

... in modo che mi spiccai da questo pensiero, ed entrai in su queste girandole e accordi e triegue che a questi giorni sono seguite, e non me le potevo assettare nel cervello, facendo questi due fondamenti: il primo che i Vinitiani havessono fatto accordo con Francia di havere a essere a mezzo maggio a ordine con 1000 lance e 1200 cavalli leggieri, e 10 mila fanti, e il re a quel tempo havesse a mandare in Italia 1000 lance e 10 mila fanti, far guerra allo stato di Milano, il quale preso, havesse a essere di Francia, e li Vinitiani havessono Brescia, Crema e Bergamo, e in cambio di Cremona, Mantova; l'altro che fosse ferma triegua tra Francia e Spagna per uno anno solo di là da' monti, con promessione fatta per Spagna, che Inghilterra e lo imperadore intra due mesi la ratificheranno.

M. scrittore politico. D'altronde si ricordi che era questo il tempo in cui andava maturando il *Principe*.   1. *sbucare del dominio:* uscire dal territorio della Repubblica di Firenze. Cosa che gli era stata proibita, come già notammo, per la durata di un anno.   2. Il cardinal Soderini, fratello del Gonfaloniere fuggiasco, si trovava a Roma, e in termini abbastanza buoni con Leone X: donde il pensiero del M. di valersi di lui.

*Stando ferme e vere e la convenzione e la triegua, vorrei potes-
simo andare insieme dal ponte vecchio per la via de' Bardi insino
a Castello e discorrere che fan'asi 2 sia qu'lla li Svagn*...[1]

(Roma, 21 prile 1513.)

X

A FRANCESCO VETTORI

Magnifico oratori Fr. Victorio apud Summum Pontificem.
Romae.

Magnifico oratore. Io vi scrissi più settimane fa in risposta di
un discorso vostro circa la triegua fatta in tra Francia e Spagna.
Non ho dipoi hauto vostre lettere, né io ve ne ho scritte, perché
intendendo come voi eri per tornare, aspettavo di parlarvi a bocca.
Ma intendendo hora che il ritorno vostro è raffreddo e che voi
siate per avventura per istare qualche dì costà, mi è parso di rivi-
sitarvi con questa lettera, e ragionarvi con quella tutte quelle cose
che io vi ragionerei se voi foste qua. E benché a me convenga scagliare,[2] per essere discosto da' segreti e dalle faccende, *tamen* non
credo possa nuocere alcuna openione che io habbi delle cose, né
a me, dicendola a voi, né a voi, udendola da me.

Voi havete veduto che successo ha hauto per hora l'impresa
che Francia ha fatto in Italia, quale è suta contraria a tutto quello
che si credeva, overo si temeva per il più;[3] e puossi questo evento
connumerare in tra le altre grandi felicità, che ha havute la S.tà
del papa e quella magnifica casa. E perché io credo che l'ufizio
di un prudente sia in ogni tempo pensare quello li potessi nuocere
e prevedere le cose discosto, e il bene favorire, e al male opporsi

---

1. Abbiam dato questo frammento, a mostrare come lo stesso Vettori,
malgrado la sua protesta di non voler più sentir parlare di cose politiche,
sollecitasse il M. poco dopo. Cosicché le sue parole son come l'introduzione alla lunga e assai nota lettera del Nostro sugli avvenimenti di
quei mesi, che qui riproduciamo. 2. *scagliare*: fare ipotesi avventate.
3. Dopo quella tregua fatta da Ferdinando I con Luigi XII, di cui tanto
si era meravigliato il Vettori e che, al dire del M., aveva messo «in disputa e in garbuglio le cose d'Italia», Luigi XII aveva rapidamente occu-
pato il ducato di Milano, spodestandone il giovane Massimiliano Sforza
protetto dagli Svizzeri, e con altrettanta rapidità, a opera di quegli stessi
Svizzeri, l'aveva riperduto (battaglia di Novara, 6 giugno 1513), mentre
dai più si temeva che, conservandolo, egli dovesse valersene come base
per altre imprese contro gli Spagnoli, così da conturbare nuovamente
tutta l'Italia.

a buon'ora, mi son messo nella persona del papa, e ho esaminato
tritamente quello di che io potrei temere adesso, e che rimedi ci
farei, i quali io vi scriverrò, rimettendomi a quel discorso di coloro, che lo possono fare meglio di me, per intendere le cose più
appunto.

A me parrebbe, se io fussi il pontefice, stare tutto fondato in
sulla fortuna, in sino a tanto che non si fosse fatto uno accordo,
per il quale le armi si havessino a posare o in tutto o in maggior
parte. Né mi parrebbe essere sicuro delli Spagnuoli, quando in
Italia loro havessino meno rispetti che non hanno ora; né sicuro
de' Svizzeri, quando non havessino havere rispetto a Francia o a
Spagna; né di alcuno altro che fusse prepotente in Italia.[1] Così,
per adverso, non temerei di Francia, quando e' si stesse di là dai
monti, o quando e' ritornasse in Lombardia d'accordo meco. E
pensando al presente alle cose dove le si truovono, io dubiterei
di un nuovo accordo, come di una nuova guerra. Quanto alla
guerra che mi facessi ritornare in quelli sospetti, ne' quali si era
pochi dì sono, non ci è per hora altro dubbio, se non se Francia
havesse una gran vittoria con li Inghilesi. Quanto allo accordo,
sarebbe quando Francia accordasse con Inghilterra o con Spagna
sanza me. E pensando io come l'accordo d'Inghilterra sia facile
o no, e così quello di Spagna, giudico se quello d'Inghilterra fosse
difficile, questo di Spagna esser possibile e ragionevole; e se non
ci si ha l'occhio, temo assai che insperato[2] e' non giunga altrui
addosso, come giunse la triegua infra loro. Le ragioni che mi muovono son queste. Io credetti sempre e credo che a Spagna piacesse
e piaccia vedere il re di Francia fuora di Italia, ma quando con
l'armi sue, e con la reputazione sua propria elli lo potesse cacciare, né credetti mai, né credo che quella vittoria, che anno i
Svizzeri hebbono con Francia, li sapesse al tutto di buono. Questa
mia opinione è fondata in sul ragionevole, per rimanere il papa e
i Svizzeri in Italia troppo potenti; ed in su qualche ritratto[3] d'onde
io ho inteso che Spagna si dolse anco del papa, parendoli che elli
havesse dato ai Svizzeri troppa autorità, e tra le ragioni che gli

1. La politica di Leone X, di cercar di tenere in rispetto le varie potenze
estere opponendole l'una all'altra, e soprattutto di impedire che il regno
di Napoli e la Lombardia fossero in mano di un solo padrone, sembra
appunto dettata dalle preoccupazioni che il M. qui espone.   2. *insperato*:
inaspettato; e perciò dannoso, a chi come il papa aveva tutto l'interesse
di esserne a parte.   3. *ritratto*: relazione, rapporto.

fecero fare triegua con Francia, credo che fosse questa. Hora se
quella vittoria prima li dispiacque, questa seconda che hanno
hauta i Svizzeri credo li piaccia meno, perché e' vede sé essere in
Italia solo, vedeci i Svizzeri con reputazione grande, vedeci un
papa giovine, ricco e ragionevolmente desideroso di gloria, e di
non fare meno prova di sé che habbino fatto i suoi antecessori,
vedelo con fratelli e nipoti senza stato; debbe pertanto ragionevolmente temere di lui, che accostandosi con Svizzeri, e' non li sia
tolto il suo; né ci si può vedere molti ostacoli, quando il papa lo
volesse fare. E lui non ci può provvedere più sicuramente, che fare
accordo con Francia, dove facilmente si guadagnerebbe Navarra,
e darebbe a Francia uno stato difficile a tenere per la vicinità de'
Svizzeri; e alli Svizzeri torrebbe l'adito di potere passare facilmente in Italia; ed al papa quella comodità di potersi valere di
loro; il quale accordo, trovandosi Francia nei termini si truova,
doverrebbe essere, non che rifiutato, ma cerco da lui.[1]

Pertanto se io fussi il pontefice, o giudicando che questo potesse intervenire, io vorrei o sturbarlo, o esserne capo; e pare a
me che le cose si truovino in termine che facilmente si potesse
concludere una pace tra Francia e Spagna, papa e Viniziani. Io
non ci metto né Svizzeri, né lo Imperadore, né Inghilterra, perché
io giudico che Inghilterra sia per lasciarsi governare da Spagna;
né veggo come lo Imperadore possa esser d'accordo con i Viniziani o come Francia possa convenire con li Svizzeri; e però io
lascio costoro, e piglio quelli dove l'accordo è più sperabile; e
parrebbemi che tale accordo facessi assai per tutti quattro costoro;
perché a' Viniziani doverrebbe bastare godere Verona, Vicenza,
Padova e Trevigi; al re di Francia la Lombardia; al papa il suo;
e a Spagna il reame. Ed a condurre questo si farebbe *solum* ingiuria ad un duca di Milano posticcio,[2] e a Svizzeri e all'Imperadore, i quali si lascerebbono addosso a Francia, e lui per guar-
darsi da loro harebbe sempre a tenere la corazza indosso, il che
farebbe che tutti gli altri sarebbono sicuri di lui, e gli altri guarde-
rebbono l'un l'altro. Pertanto io veggo in questo accordo sicurtà
grande e facilità, perché intra loro sarebbe una comune paura de'

Tedeschi che sarebbe la mastice che li terrebbe appiccati insieme, né sarebbe tra loro cagione di querele, se non ne' Veneziani, che harebbono pazienzia.

Ma, pigliandola per altra via, io non vi veggo sicurtà veruna; perché io sono d'opinione, e non me ne credo ingannare, che poiché[1] il re di Francia sarà morto, e' penserà all'impresa di Lombardia, e questo sarà sempre cagione di tenere l'armi fuora; senza che io credo che Spagna la calerà a questi altri in ogni modo; e se la prima vittoria de' Svizzeri li fece fare triegua, questa seconda li farà far pace, né stimo pratiche che tenga, né cose che dica, né promesse che faccia; la quale pace, quando la facesse, sarebbe pericolosissima, facendola senza partecipazione di altri. *Valete.*

Florentiae, die 20 Junii 1513.   Niccolò Machiavelli.[2]

[INVITO A ROMA E VITA A SAN CASCIANO]

XI

FRANCESCO VETTORI A NICCOLÒ MACHIAVELLI[3]

(estratto)

... E per questa lettera ho facto pensiero scrivervi qual sia la vita mia in Roma. E mi pare conveniente farvi noto, la prima choxa, dove abito, perché mi sono tramutato, né sono più vicino a tante cortigiane, quanto ero questa state. La stanza mia si chiama San Michele in Borgo, che è molto vicina al Palazo ed alla Piaza di San Pietro: ma è in luogo un pocho solitario, perché è inverso il Monte chiamato dalli antiqui el Janicolo. La casa è assai buona e ha molte habitationi, ma pichole; ed è a volta al vento oltramontano, in modo ci è una aria perfecta.

Della chasa s'entra in chiesa, la quale, per esser io religioso come

1. *poiché*: anche quando.   2. Gli eventi che seguirono diedero ragione a questa lucidissima analisi del M., in quanto e il re di Spagna e il papa cercarono di accordarsi con la Francia, in base ai motivi qui lumeggiati. Però mentre il M. nel suo ottimismo sperava che l'accordo contemplasse la cessione della Lombardia al re di Francia, questa mancò, e con la morte di Luigi XII il nuovo re, l'audace e munifico Francesco I, vi trovò occasione per nuove guerre che devastarono a lungo la penisola.   3. Riferiamo questa graziosa lettera del Vettori, come quella che diede occasione alla risposta del M., meritamente famosa, sui suoi bizzarri svaghi e sui nobili studi di San Casciano, che si leggerà qui di seguito.

voi sapete, mi viene molto a proposito. È vero che la chiesa più presto s'adopera a passeggiare che altro, perché non vi si dice mai messa né altro divino uficio, se non una volta in tutto l'anno. Della chiesa s'entra in uno orto, che soleva essere pulito e bello, ma hora in gran parte è guasto; pur si va del continuo rassettando. Dell'orto si sagle in sul monte Janicolo, dove si può andare per viottoli e vigne a solazo, sanza esser veduto da nessuno; e in questo luogo, secondo li antiqui, erano li orti di Nerone, di che si vedono le vestigie. In questa chasa sto con nove servidori, e oltre a questi il Brancaccio, un cappellano e uno scriptore, e sette chavalli, e spendo tutto il salario ho largamente. Nel principio ci venni, cominciai a volere vivere lauto e delicato, con invitare forestieri, dare 3 o 4 vivande, mangiare in argenti e simil choze: acorsimi poi che spendevo troppo, e non ero di meglio niente; in modo che feci pensiero non invitare nessuno e vivere a un buono ordinario: li argenti restitu' a chi me li haveva prestati, sì per non li havere a guardare, sì anchora perché spesso mi richiedevano parlassi a N. S. per qualche loro bixogno: facevolo, e non erono serviti; in modo diterminai di scaricarmi di questa faccenda e non dare molestia né charicho a nessuno, perché non havessi a esser dato a me.

La mattina, in questo tempo, mi lievo a 16 hore, e vestito vo infino a Palazo, non però ogni mattina, ma delle due o tre una. Quivi, qualche volta, parlo venti parole al Papa, dieci al cardinale de' Medici, sei al magnifico Juliano; e se non posso parlare a lui, parlo a Piero Ardinghelli, poi a qualche imbasciatore che si truova per quelle camere; e intendo qual choxetta, pure di poco momento. Facto questo, me ne torno a chasa; excepto che, qualche volta, desino col cardinale de' Medici. Tornato, mangio con li mia, e qualche volta un forestiero o dua che vengono da loro, chome dire ser Sano o quel ser Tommaso che era a Trento, Giovanni Rucellai o Giovan Girolami. Dopo mangiare giucherei se havessi chon chi; ma non havendo, passeggio pella chiesa e per l'orto. Poi chavalcho un pochetto fuori di Roma, quando sono belli tempi. A nocte torno in chasa; ed ho ordinato d'havere historie assai, maxime de' Romani, chome dire Livio chon lo epitome di Lucio Floro, Salustio, Plutarcho, Appiano Alexandrino, Cornelio Tacito, Svetonio, Lampridio e Spartiano, e quelli altri che scrivono delli imperatori, Herodiano, Ammiano Marcellino e Procopio: e con essi mi passo tempo; e considero che imperatori ha sopportato questa misera Roma che già

*fece tremare il mondo, e che non è suta maraviglia habbi anchora
tollerati due pontefici della qualità sono suti e passati. Scrivo, de'
4 dì una volta, una lettera a' Signori X, e dico qualche novella
stracha e che non rilieva, ché altro non ho che scrivere, per le cause
che per voi medesimo intendete. Poi me ne vo a dormire, quando
ho cenato e decto qualche novelletta chol Brancaccio e chon M.
Giovambatista Nasi, el quale si sta meco spesso. Il dì delle feste odo
la messa, e non fo chome voi che qualche volta la lasciate indrieto.
Se voi mi domandassi se ho nessuna cortigiana, vi dico che da principio ci venni, n'hebbi chome vi scrissi; poi, impaurito dell'aria della
state, mi sono ritenuto. Nondimeno n'havevo aveza una, in modo
che spesso ci vien per sé medesima, la quale è assai ragionevole di
bellezza, e nel parlare piacevole. Ho anchora in questo luogo, benché
sia solitario, una vicina che non vi dispiacerebbe; e benché sia di nobil
parentado, fa qualche faccenda.*

*Nicolò mio, a questa vita v'invito; e se ci verrete mi farete pia-
cere, e poi ce ne torneremo chostà insieme. Qui voi non harete altra
faccenda che andar vedendo, e poi tornarvi a chasa, amoreggiare
e ridere. Né voglio crediate che io viva da imbasciadore, perché
io volli sempre esser libero. Vesto quando lungo e quando corto,
chavalcho solo, cho' famigli a piè, e quando chon essi a chavallo.
A chasa cardinali non vo mai, perché non ho a visitare se non Medici, e qualche volta Bibbiena, quando è sano. E dica ognuno quello
che vuole; e se io non li satisfo, rivochimi; ché in conclusione io me
ne voglio tornare a capo uno anno, ed esser stato in chapitale, venduto le veste e chavalli; e del mio non ci vorrei mettere, se io potessi.
E voglio mi crediate una cosa, che la dico sanza adulatione: anchor
che qui mi sia travagliato pocho, nondimeno il chonchorso è sì grande,
che non si può fare non si pratichi assai: huomini in effecto a me
ne satisfanno pochi, né ho trovato huomo di migliore iudicio di voi.
Sed fatis trahimur: ché quando parlo in lungo a certi, quando leggo
le lor lettere, sto da me medesimo admirato, sieno venuti in grado
alchuno, che non sono se non cerimonie, bugie e favole, e pochi ne
sono che eschino fuori dell'ordinario. Bernardo da Bibbiena, hora
cardinale, in verità ha gentile ingegno, ed è huomo faceto e discreto,
e ha durato a' suoi dì gran faticha: nondimeno hora è malato; è
stato così tre mesi, né so se sarà più quel che soleva. E così spesso
ci afatichiamo per posarci, e non riesce: e però stiamo allegri, e
segua che vuole. E ricordatevi che io sono al piacere vostro, e che*

mi rachomando a voi, a Filippo e Giovanni Machiavelli, a Donato,
a messer Ciaio. Non altro. Christo vi guardi.

Die 23 Novembris 1513, Romae.

                                        Franciscus Victorius Orator.

                                    XII

                        A FRANCESCO VETTORI

Magnifico oratori Florentino Francisco Vectori apud Summum
Pontificem et benefactori suo.

                                        Romae.

Magnifico ambasciatore. Tarde non furon mai grazie divine.[1]
Dico questo, perché mi pareva haver perduta no, ma smarrita la
grazia vostra, sendo stato voi assai tempo senza scrivermi, ed ero
dubbio donde potessi nascere la cagione.[2] E di tutte quelle mi
venivono nella mente tenevo poco conto, salvo che di quella quando
io dubitavo non vi havessi ritirato da scrivermi, perché vi fussi
suto scritto che io non fussi buon massaio delle vostre lettere;
e io sapevo che, da Filippo e Pagolo in fuora,[3] altri per mio conto
non le haveva viste. Honne rihauto per l'ultima vostra de' 23 del
passato, dove io resto contentissimo vedere quanto ordinatamente
e quietamente voi esercitate cotesto ufizio publico, e io vi conforto a seguire così, perché chi lascia i sua comodi per li comodi
d'altri, e' perde e' sua, e di quelli non gli è saputo grado. E poiché
la fortuna vuol fare ogni cosa, ella si vuole lasciarla fare, stare
quieto e non le dare briga, e aspettare tempo che ella lasci far
qualche cosa agl'huomini e all'hora starà bene a voi durare più
fatica, vegliar più le cose, e a me partirmi di villa e dire eccomi.[4]

---

1. Petrarca, *Trionfo della Divinità*, 13 (« Ma tarde non fur mai grazie divine »). La differente lezione è probabilmente dovuta al fatto che il M.
citò a memoria.   2. Arguta la distinzione fra *perduta* e *smarrita*. Il Vettori, pur amico del M., cercava di non compromettere la sua delicata posizione di ambasciatore a Roma, tollerato dai Medici e puramente ono-
rario (come si vede chiaro dalla lettera precedente); e alle richieste di
appoggio del Nostro rispondeva solo con buone parole.   3. Filippo Casavecchia, già ricordato, e Paolo Vettori, fratello del destinatario.   4. Sempre il solito ostinato rimpianto di esser fuori degli affari pubblici, senza
potervi tornare se non venendo in grazia dei Medici.

Non posso pertanto, volendovi render pari grazie, dirvi in questa
lettera altro che qual sia la vita mia, e se voi giudicate che sia
a barattarla con la vostra, io sarò contento mutarla.

Io mi sto in villa, e poiché seguirono quelli miei ultimi casi,[1]
non sono stato, ad accozzarli tutti, venti dì a Firenze. Ho insino
a qui uccellato a' tordi di mia mano; levavomi innanzi dì, impa-
niavo, andavone oltre con un fascio di gabbie addosso, che parevo
il Geta quando e' tornava dal porto con i libri di Anphitrione;[2]
pigliavo almeno dua, al più sei tordi. E così stetti tutto settembre;
dipoi questo badalucco,[3] ancoraché dispettoso e strano,[4] è mancato
con mio dispiacere; e quale la vita mia vi dirò. Io mi lievo la mattina con el sole e vommene in un mio bosco che io fo tagliare,[5]
dove sto dua hore a riveder l'opere del giorno passato, e a passar
tempo con quegli tagliatori, che hanno sempre qualche sciagura[6]
alla mane o fra loro o co' vicini. E circa questo bosco io vi harei
a dire mille belle cose che mi sono intervenute, e con Frosino
da Panzano e con altri che voleano di queste legna. E Frosino in
spezie mandò per certe cataste senza dirmi nulla, e al pagamento
mi voleva rattenere dieci lire, che dice haveva havere da me quattro anni sono, che mi vinse a cricca[7] in casa Antonio Guicciardini.
Io cominciai a fare il diavolo, volevo accusare il vetturale, che vi
era ito per esse per ladro, *tandem* Giovanni Machiavelli vi entrò
di mezzo, e ci pose d'accordo.[8] Batista Guicciardini, Filippo Gi-
nori, Tommaso del Bene e certi altri cittadini, quando quella tra-

1. Le persecuzioni di cui alla lettera già vista del 13 marzo 1512.   2. Allusione a una novella popolare del '400 in ottave (*Geta e Birria*), tratta
da una operetta medievale latina attribuita a Vidal de Blois che volgariz-
zava e travestiva la commedia plautina di Anfitrione: questi, mutato in pedante, caricava il servo di libri, mandandolo da Alcmena ad avvisarla del
suo ritorno. Da notare che nella commedia di Plauto il nome del servo è
Sosia; mentre *Geta* è chiamato l'altro servo astuto della commedia *Phor-
mio* di Terenzio.   3. *badalucco*: negli scrittori di cose militari valeva
combattimento fatto per diversivo; ma il M., come già abbiamo visto, lo
adopera per significare «trastullo», «passatempo».   4. *dispettoso e strano*:
fatto a contraggenio, quasi per dispetto, ed estraneo ai suoi gusti.   5. Il
M., anche privo dell'impiego, non era del tutto senza risorse, con quella
villa (ossia casa con podere) dell'Albergaccio in cui si era ritirato; ma in-
sufficienti, per una numerosa famiglia come la sua.   6. *sciagura*: fastidio,
cioè lite.   7. *cricca*: un gioco di carte.   8. Di questo Frosino la cui ava-
rizia è così lamentata, nulla sappiamo più di quel che si ricava dalle presenti righe: cioè che era del circolo di amici e parenti del Nostro.

montana soffiava, ognuno me ne prese una catasta.¹ Io promessi
a tutti, e manda'ne una a Tommaso, la quale tornò a Firenze
per metà,² perché a rizzarla vi era lui, la moglie, la fante, i figliuoli,
che pareva il Gabburra quando il giovedì con quelli suoi garzoni
bastona un bue.³ Dimodoché, veduto in chi era guadagno, ho
detto agli altri che io non ho più legne; e tutti ne hanno fatto
capo grosso, e in specie Batista, che connumera questa tra le altre
sciagure di Prato.⁴

Partitomi del bosco, io me ne vo ad una fonte, e di quivi in
un mio uccellare;⁵ ho un libro sotto, o Dante o Petrarca, o uno
di questi poeti minori, come Tibullo, Ovidio e simili: leggo quelle
loro amorose passioni e quelli loro amori; ricordomi de' mia, go-
domi un pezzo in questo pensiero. Transferiscomi poi in sulla
strada nell'hosteria, parlo con quelli che passono, domando delle
nuove de' paesi loro, intendo varie cose, e noto vari gusti e diverse fantasie d'huomini. Viene in questo mentre l'hora del desinare, dove con la mia brigata⁶ mi mangio di quelli cibi che questa
mia povera villa, e paululo⁷ patrimonio comporta. Mangiato che
ho, ritorno nell'hosteria: quivi è l'hoste, per l'ordinario, un beccaio, un mugnaio, due fornaciai. Con questi io m'ingaglioffo per
tutto dì giuocando a cricca, a trich-trach, e poi dove nascono
mille contese e infiniti dispetti di parole iniuriose, e il più delle
volte si combatte un quattrino e siamo sentiti non di manco gri-
dare da San Casciano.⁸ Così rinvolto in tra questi pidocchi traggo
il cervello di muffa, e sfogo questa malignità di questa mia sorta,
sendo contento mi calpesti per questa via, per vedere se la se ne
vergognassi.⁹

1. *quando quella tramontana soffiava* . . . Quando il M. era in prigione e
ci si poteva aspettare il peggio, cioè almeno la confisca dei beni, questi
amici si erano prenotati ciascuno per una catasta di legna del suo bosco:
per aiutarne la famiglia, ma anche con loro vantaggio, almeno stando a
quel che segue.   2. *tornò a Firenze per metà*: a Firenze venne stimata la
metà. Perché, come è detto, Tommaso del Bene si affrettò, scaricandola
con l'aiuto di tutta la famiglia, a legarla così stretta che figurasse meno!
3. Il *Gabburra*, secondo termine dell'arguto paragone, era a quanto pare
un beccaio assai noto. Si usava allora macellare davanti alla bottega: specie il giovedì, per vendere il sabato.   4. Maliziosa allusione al fatto che
Battista Guicciardini era podestà di Prato al tempo del famoso «sacco».
5. *uccellare*: uccellatoio o paretaio, cioè luogo per catturare gli uccelli con
reti e richiami: caccia usatissima allora e a lungo popolare in Toscana.
6. *brigata*: famiglia.   7. *paululo*: (lat.) piccolissimo.   8. Che era distante
tre miglia.   9. Ossia per una specie di dispettoso gusto di secondare la
mala sorte, avvilendosi in tal modo.

Venuta la sera, mi ritorno in casa, ed entro nel mio scrittoio;
ed in sull'uscio mi spoglio quella vesta cotidiana, piena di fango
e di loto, e mi metto panni reali e curiali; e rivestito condecen-
temente entro nelle antique corti degli antiqui huomini, dove, da
loro ricevuto amorevolmente, mi pasco di quel cibo, che *solum* è
mio, e ch'io nacqui per lui; dove io non mi vergogno parlare con
loro, e domandoli della ragione delle loro actioni, e quelli per loro
humanità mi rispondono; e non sento per quattro hore di tempo
alcuna noia, sdimentico ogni affanno, non temo la povertà, non
mi sbigottisce la morte: tutto mi transferisco in loro. E perché
Dante dice che non fa scienza senza ritener lo havere inteso — io
ho notato quello di che per la loro conversazione ho fatto capitale, e composto uno opuscolo *De principatibus*, dove io mi profondo quanto io posso nelle cogitazioni di questo subietto, dispu-
tando che cosa è principato, di quale spezie sono, come e' si ac-
quistono, come e' si mantengono, perché e' si perdono; e se vi
piacque mai alcuno mio ghiribizzo, questo non vi doverrebbe dispiacere; ed a un principe, e massime a un principe nuovo, doverrebbe essere accetto; però io lo indrizzo alla M.tia di Giuliano.[1]
Filippo Casavecchia l'ha visto; vi potrà ragguagliare in parte e
della cosa in sé, e de' ragionamenti ho hauto seco, ancor ché
tuttavolta io l'ingrosso et ripulisco.

Voi vorresti, magnifico ambasciatore, che io lasciassi questa vita,
e venissi a godere con voi la vostra. Io lo farò in ogni modo, ma
quello che mi tenta hora è certe mie faccende che fra sei settimane l'harò fatte. Quello che mi fa star dubbio è, che sono costì
quelli Soderini e quali sarei forzato, venendo costì, visitargli e
parlar loro. Dubiterei che alla tornata mia io non credessi sca-
valcare a casa, e scavalcassi nel Bargiello,[2] perché ancora ché questo stato[3] habbia grandissimi fondamenti e gran securtà, *tamen*
egli è nuovo, e per questo sospettoso, né vi manca di saccenti, che,

1. Il *Principe* fu dunque il primo frutto compiuto di questi fervidi studi.
Ma non senza che vi andasse unita l'idea di una sua utilizzazione pratica,
come mezzo per far riconoscere dai Medici la capacità politica dell'autore,
e quindi indurli a valersene. Morto Giuliano (1516), col quale il M. era
già in relazione, l'opera, venne quindi da lui dedicata al nuovo signore di
Firenze, Lorenzo duca d'Urbino. 2. A Roma aveva ultimamente preso
dimora, col consenso di Leone X, Piero Soderini, presso il fratello cardinale: il M. avrebbe dovuto andarli a trovare, ma temeva che la cosa
potesse comprometterlo, e fruttargli un nuovo imprigionamento al ritorno. 3. *questo stato*: il regime dei Medici in Firenze.

per parere come Pagolo Bertini, metterebbono altri a scotto, e lascierebbono il pensiero a me.[1] Pregovi mi solviate questa paura, e poi verrò infra il tempo detto a trovarvi a ogni modo.

Io ho ragionato con Filippo di questo mio opuscolo, se gli era bene darlo o non lo dare; e sendo ben darlo, se gli era bene che io lo portassi, o che io ve lo mandassi.[2] Il non lo dare mi faceva dubitare che da Giuliano e' non fussi, non che altro, letto, e che questo Ardinghelli si facessi honore di questa ultima mia fatica.[3] Il darlo mi faceva[4] la necessità che mi caccia, perché io mi logoro, e lungo tempo non posso stare così che io non diventi per povertà contennendo. Appresso al desiderio harei che questi signori Medici mi cominciassino adoperare, se dovessino cominciare a farmi voltolare un sasso; perché se poi io non me gli guadagnassi, io mi dorrei di me, e per questa cosa quando la fussi letta, si vedrebbe che quindici anni che io sono stato a studio dell'arte dello stato, non gli ho né dormiti, né giuocati; e doverrebbe ciascheduno haver caro servirsi di uno che alle spese di altri fussi pieno di esperienzia. E della fede mia non si doverrebbe dubitare, perché havendo sempre observato la fede, io non debbo imparare hora a romperla; e chi è stato fedele e buono quarantatré anni, che io ho, non debbe poter mutare natura; e della fede e bontà[5] mia ne è testimonio la povertà mia.

Desidererei adunque che voi ancora mi scrivessi quello che sopra questa materia vi paia, e a voi mi raccomando. *Sis felix.*

Die 10 Decembris 1513.

Niccolò Machiavegli in Firenze.

1. *né vi manca* ...: come a dire: «e non mancano i chiacchieroni che, per fare gli zelanti (del regime mediceo, come questo Pagolo Bertini, a noi ignoto) sarebbero pronti a far andare chiunque in pensione gratis (cioè in prigione), lasciandone a me i fastidi». 2. Ossia se presentare o no il *Principe* ai Medici, e se di persona o per mezzo d'altri. 3. *si facessi honore* ...: facendo passare il *Principe* per un suo scritto. Piero Ardinghelli, prelato fiorentino che fu anche segretario di Leone X, intrigante e nemico del M., incitava Giuliano a diffidare di lui. Più tardi, vendé per mille ducati al duca di Mantova (a mezzo del Castiglione) un documento compromettente dell'archivio papale che il duca voleva distrutto, e scoperto, si avvelenò, «per non venire in più infame morte». 4. *Il darlo mi faceva*: mi spingeva all'idea di presentarlo ... 5. *bontà*: onestà.

[CORRISPONDENZA COL GUICCIARDINI]

XIII

A FRANCESCO GUICCIARDINI

Magnifico Domino Francisco de Guicciardinis J. V. Doctori
Mutinae Regiique Gubernatori dignissimo suo plurimum
honorandissimo.[1]

Magnifice vir, major observandissime. Io ero in sul cesso quando
arrivò il vostro messo, ed appunto pensavo alle stravaganze di
questo mondo,[2] e tutto ero volto a figurarmi un predicatore a mio
modo per a Firenze, e fosse tale quale piacesse a me, perché in
questo voglio essere caparbio come nelle altre oppinioni mie. E

1. Il Guicciardini era in Modena, governatore di quella città e di Reggio
per incarico di Leone X; nel 1523 sarà fatto da Clemente VII governatore
di tutta la Romagna, restandovi fino al '26. A questo periodo si riferisce
la corrispondenza fra il M. e lui, di cui offriamo saggio: ricca di toni vari
e interessante anche come viva testimonianza dell'amicizia di questi due
grandi, la quale, se come è noto non fu priva di qualche screzio e gelosia,
appare fondata in sostanza su una reale simpatia d'animo e di gusti e
anche su una certa comunanza di preoccupazioni patriottiche (se pur
più tepide e caute quelle del Guicciardini, il quale assai più abilmente
che non il M. seppe farle tacere a profitto della sua carriera).   2. L'ultima delle quali era stata di mandar proprio lui, Machiavelli, a Carpi, con un così curioso incarico! Tornato in grazia dei Medici l'anno
prima, il M. aveva incominciato a essere adoperato dalla Signoria per com-
missioni di poco conto. Ora egli avrebbe dovuto ottenere dal Capitolo
generale dei Frati Minori di Carpi una giurisdizione speciale facente capo
a Firenze, per i loro compagni residenti nel territorio della Repubblica.
E inoltre, per incarico dei consoli dell'Arte della Lana, doveva procurare
che andasse a predicare a Firenze, dove era già noto, uno di quei frati,
un tal Rovaio. – A illustrare la situazione e chiarire le allusioni di questa
e delle seguenti lettere, val la spesa di riferire il biglietto che appunto
quel giorno stesso gli aveva inviato il Guicciardini, per mezzo di quel suo
messo: « Machiavello carissimo. Buon giudizio certo è stato quello de' nostri
Honorandi consoli dell'Arte della Lana, havere commesso a voi la cura
di eleggere un predicatore, non altrimenti che se a Pacchierotto mentre
viveva, fosse stato dato il carico, o a ser Sano [*due cittadini di Firenze noti,
a quanto pare, per i loro costumi alieni dalle compagnie femminili*] di trovare
una bella e galante moglie a un amico. Credo gli servirete secondo l'expet-
tazione che si ha di voi; e secondo che ricerca l'honore vostro, quale si
oscurerebbe se in questa età vi dessi all'anima [*cioè alle cose della religione*], perché havendo sempre vivuto con contraria professione, sarebbe
attribuito piuttosto al rimbambito che al buono. Vi ricordo che vi expe-
diate il più presto che si può, perché nello stare molto costà correte duoi
pericoli: l'uno che quelli frati santi non vi attacchino dell'ipocrito, l'altro

perché io non mancai mai a quella repubblica, dove io ho possuto giovarle che io non l'habbi fatto, se non con le opere, con le parole, se non con le parole con i cenni, io non intendo mancarle anco in questo. Vero è che io so che io sono contrario, come in molte altre cose, all'oppinione di quelli cittadini: eglino vorrieno un predicatore ché insegnassi loro la via del Paradiso, ed io vorrei trovarne uno che insegnassi loro la via di andare a casa il diavolo;[1] vorrebbono appresso che fusse huomo prudente, intiero e reale, ed io ne vorrei trovare uno più pazzo che il Ponzo, più versuto[2] che fra Girolamo, più ippocrito che frate Alberto,[2] perché mi parrebbe una bella cosa, e degna della bontà di questi tempi, che tutto quello che noi habbiamo sperimentato in molti frati, si esperimentasse in uno, perché io credo che questo sarebbe il vero modo ad andare in Paradiso, imparare la via dell'Inferno per fuggirla. Vedendo, oltre di questo, quanto credito ha uno tristo che sotto il mantello della religione si nasconda, si può fare sua coniettura facilmente, quanto ne harebbe un buono che andasse in verità e non in simulazione, pestando i fanghi di S. Francesco. Parendomi adunque la mia fantasia buona, io ho disegnato di torre il Rovaio, e penso che se somiglia i fratelli e le sorelle, che sarà il caso.[3] Harò caro che scrivendomi altra volta, me ne diciate l'oppinione vostra.

Io sto qui ozioso perché io non posso eseguire la commessione mia insino che non si fanno il generale e i diffinitori,[4] e vo rigrumando in che modo io potessi mettere infra loro tanto scandolo che facessino o qui o in altri luoghi alle zoccolate; e se io non perdo il cervello credo che mi habbia a riuscire; e credo che il

che quell'aria da Carpi non vi faccia diventare bugiardo, perché così è l'influxo suo, non solo in questa età, ma da molti secoli in qua. E se per disgrazia fuste alloggiato in casa di qualche Carpigiano, sarebbe il caso vostro senza rimedio. Se harete visitato quel vescovo governatore [*era Teodoro Pio, della famiglia stessa dei principi di Carpi*] harete visto una bella foggia di uomo, e da imparare mille bei colpi. A voi mi raccomando. – Di Modona, addì 17 di maggio 1521. – Vostro Francesco Guicciardini. »
    1. *il diavolo*: del diavolo; si spiega dopo in che senso.   2. *versuto*: (dal lat. ciceroniano «versutus») pronto di mente e mobile; e pel M. qui, facile a pigliar dirizzoni, quindi balzano e ostinato a un tempo; ... *frate Alberto*: con probabile allusione a quello del Boccaccio, che osò farsi credere l'Agnolo Gabriello (*Decameron*, IV, 2).   3. Gli par dunque bene ai aover secondare l'indicazione datagli. Il Rovaio doveva esser ben noto in Firenze, come si ricava da una lettera seguente.   4. Cioè, che si eleggessero le nuove cariche dell'Ordine.

consiglio e l'aiuto di vostra signoria gioverebbe assai. Pertanto se
voi venissi insin qua sotto nome di andarvi a spasso, non sarebbe
male, o almeno scrivendo mi dessi qualche colpo da maestro; perché se voi ogni dì una volta mi manderete un fante apposta per
questo conto,[1] come voi havete fatto oggi, voi farete più beni,
l'uno che voi mi alluminerete[2] di qualche cosa a proposito, l'altro
che voi mi farete più stimare da questi di casa, veggendo spesseg-
giare gli avvisi. E sovvi dire che alla venuta di questo balestriere
con la lettera e con un inchino infino in terra, e con il dire che
era stato mandato apposta ed in fretta, ognuno si rizzò con tante
riverenze e tanti romori, che gli andò sottosopra ogni cosa, e fui
domandato da parecchi delle nuove;[3] ed io, perché la riputazione
crescesse, dissi che l'imperadore si aspettava a Trento, e che li
Svizzeri avevano indette nuove diete, e che il re di Francia voleva andare ad abboccarsi con quel re, ma che questi suoi consi-
glieri ne lo sconsigliano; in modo che tutti stavano a bocca aperta
e con la berretta in mano; e mentre che io scrivo ne ho un cerchio
d'intorno, e veggendomi scrivere a lungo si maravigliano, e guar-
donmi per ispirato; ed io, per fargli maravigliare più, sto alle volte
fermo sulla penna, e gonfio,[4] ed allora egli sbavigliano;[5] che se
sapessino quel che io vi scrivo, se ne maraviglierebbono più. Vostra signoria sa che questi frati dicono, che quando uno è confermato in gratia, il diavolo non ha più potentia di tentarlo. Così
io non ho paura, che questi frati mi appicchino la ippocrisia, perché io credo essere assai ben confermato.

Quanto alle bugie de' Carpigiani io ne vorrò misura con tutti
loro, perché è un pezzo che io mi dottorai di qualità, che io non
vorrei Francesco Martelli per ragazzo;[6] perché da un tempo in
qua io non dico mai quello che io credo, né credo mai quel che
io dico, e se pure e' mi vien detto qualche volta il vero, io lo
nascondo fra tante bugie, che è difficile a ritrovarlo.

A quel governatore io non parlai, perché havendo trovato al-
loggiamento, mi pareva il parlargli superfluo. Bene è vero che sta-

1. *per questo conto*: a questo proposito. 2. *alluminerete*: illuminerete, con
suggerimenti o chiarimenti. 3. *nuove*: notizie del mondo, del momento
politico, che era allora assai delicato per l'Italia del Nord. 4. *gonfio*:
trattenendo il fiato, in atto di chi concentra l'attenzione. 5. *sbavigliano*:
spalancan la bocca per lo stupore, in atto di chi sbadiglia. 6. *per ragazzo*: nemmeno per garzone, tanto si sentiva di superarlo! Si tratta evidentemente di un loro concittadino famoso per le bugie.

mani in chiesa io lo vagheggiai un pezzo, mentre che lui stava a
guardare certe dipinture. Parvemi il caso suo bene foggiato, e da
credere che rispondesse il tutto alla parte, e che fosse quello che
paresse, e che la telda non farneticasse,[1] in modo che se io havevo
allato la vostra lettera, io facevo un bel tratto a pigliarne una sec-
chiata. Pure non è rotto nulla,[2] ed aspetto domani da voi qualche
consiglio sopra questi mia casi, e che voi mandiate uno di codesti
balestrieri, ma che corra ed arrivi qua tutto sudato, acciò che la
brigata strabilii; e così facendo mi farete honore, ed anche parte
codesti balestrieri faranno un poco di esercizio, che per i cavalli
in questi mezzi tempi è molto sano. Io vi scriverrei ancora qualche
altra cosa, se io volessi affaticare la fantasia, ma io la voglio riser-
bare a domani più fresca ch'io posso. Raccomandomi alla signoria
vostra, *quae semper ut vult valeat.*

   In Carpi, addì 17 di Maggio 1521.

                                   Vester obser. Niccolò Machiavelli
                                   Oratore a' Fra Minori.[3]

                                  XIV

         FRANCESCO GUICCIARDINI A NICCOLÒ MACHIAVELLI

   Al magnifico M. Niccolò Machiavelli Nuntio fiorentino
                                                      In Carpi.

*Machiavello carissimo. Quando io leggo i vostri titoli di oratore
di Repubblica e di frati e considero con quanti Re, Duchi e
Principi voi havete altre volte negociato, mi ricordo di Lysan-
dro, a chi doppo tante victorie e trophei fu dato la cura di distribuire la carne a quelli medesimi soldati a chi sì gloriosamente*

---

1. Anche dalle righe del citato biglietto del Guicciardini, si indovina che
l'uomo doveva essere difforme di corpo, e ritorto di spirito: si da potersi
dire che la sua difformità (la *telda*, parola di gergo, forse propriamente
«gobba») non desse falsa indicazione del suo carattere (*farneticasse*), cioè
non mentisse. Altri legge *Telda*, come nome di persona, ma, ci sembra,
senza ragione.   2. Frase presa scherzosamente dal linguaggio diplomatico:
«le trattative non sono ancor rotte», «la situazione non è ancor compro-
messa», per dire che farà sempre a tempo ad accostarlo.   3. Anche questo modo di sottoscriversi è scherzoso: *Oratore* significava ambasciatore,
e il M. lo era stato, se non in titolo, in sostanza, presso ben altri personaggi e in ben più importanti occasioni. Vedasi qui la risposta del Guicciardini.

haveva comandato: e dico — Vedi che, mutati solum *e visi delli huomini ed i colori extrinseci, le cose medesime tucte ritornano; né vediamo accidente alcuno che a altri tempi non sia stato veduto. Ma el mutare nomi e figura alle cose fa che soli e prudenti le riconoschono: e però è buona ed utile la hystoria perché ti mette innanzi e ti fa riconoscere e rivedere quello che mai non havevi conosciuto né veduto. Di che seguita un syllogismo fratescho che molto è da comendare chi vi à dato la cura di scrivere annali: e da exhortare voi che con diligentia exequiate lo officio commesso. A che credo non vi sarà al tutto inutile questa legazione perché in cotesto ocio di tre dì harete succiata tutta la Repubblica de' Zoccholi e a qualche proposito vi varrete di quel modello, comparandolo o ragguaglandolo a qualche una di quelle vostre forme.*

Non mi è parso in beneficio vostro da perdere tempo o abbandonare la fortuna, mentre si mostra favorevole; però ho seguitato lo stile di spacciare el messo: il che se non servirà a altro, doverà farvi beccare doman da sera davantaggio una torta. Vi ricordo nondimanco che M. Gismondo è corrivo ed uso alle chiachiere o in lombardo alle berte: però è da andare cautamente, acciò che gli paperi non diventassino anitre. Io lì ho scripto come qualmente che non lo aviso della venuta, perché mi confido alla perspicacia dello ingegno suo, e che vi habbia conosciuto . . .[1]

---

1. Allude a Sigismondo Santi, segretario dei principi di Carpi, e ben noto al Guicciardini, presso il quale il Machiavelli si era alloggiato: egli vuole secondare la burla del M., di farsi passare per un gran personaggio incaricato di chissà quale missione segreta, e come se la modesta commissione ufficiale presso i frati non fosse che una lustra. Così il M., oltre al divertimento, potrà ricavarne almeno degli ottimi pranzi! Il biglietto è anche interessante, sia per le righe dell'esordio, dove si vede il Guicciardini in atto di lusingare la sensibilità del M. per fargli sentire il meno possibile l'amaro della differenza fra le loro attuali posizioni, sia per le chiare allusioni, scherzose ma tutt'altro che irriverenti, agli studi e alle idee dell'autore del *Principe*.

XV

A FRANCESCO GUICCIARDINI

Magnifico Domino Francisco de Guicciardinis etc.

Mutinae.

Io vi so dire che il fumo ne è sino ito al cielo, perché tra l'an-
bascia dell'apportatore ed il fascio grande delle lettere, e' non è
huomo in questa casa ed in questa vicinanza che non spiriti; e
per non parere ingrato a messer Gismondo,[1] gli mostrai que' capitoli de' Svizzeri e del re. Parvegli cosa grande: dissigli della malattia di Cesare, e degli stati che voleva comprare in Francia, in
modo che gli sbaviliava. Ma io credo con tutto questo che dubiti
di non essere fatto fare, perché gli sta sopra di sé, né vede perché
si habbia a scrivere sì lunghe bibbie in questi deserti d'Arabia,
e dove non è se non frati; né credo parergli quell'huomo raro che
voi gli havete scritto, perché io mi sto qui in casa, o io dormo o
io leggo o io mi sto cheto; tale che io credo che si avvegga che voi
vogliate la baia di me e di lui. Pure e' va tastando, ed io gli ri-
spondo poche parole e mal composte, e fondomi sul diluvio che
debbe venire, o sul Turco che debbe passare, e se fosse bene fare
la Crociata in questi tempi, e simili novelle da pancacce,[2] tanto
che io credo gli paia mille anni di parlarvi a bocca per chiarirsi
meglio, o per fare quistione con voi, che gli havete messo questa
grascia per le mani, ché gli impaccio la casa, e tengolo impegnato
qua; pure io credo che si confidi assai che il giuoco habbia a durar
poco, e però segue in far buona cera e fare i pasti golfi, ed io
pappo per sei cani e tre lupi, e dico quando io desino — Stamani
guadagno io due giulii; e quando io ceno: Stasera io ne guadagno
quattro. Pure nondimeno io sono obbligato a voi e a lui, e se
viene mai a Firenze io lo ristorerò, e voi in questo mezzo gli farete le parole.

Questo traditore del Rovaio si fa sospignere, e va gavillando, e
dice che dubita di non poter venire, perché non sa poi che modi
potersi tenere a predicare, ed ha paura di non andare in galea
come papa Angelico; e dice che non gli è poi fatto honore a Firenze delle cose, e che fece una legge quando vi predicò l'altra

1. Il Sigismondo Santi di cui alla nota precedente.   2. *novelle da pancacce*: chiacchiere inconcludenti, come si fanno sulle panche delle osterie.

volta, che le puttane dovessino andare per Firenze con il velo
giallo, e che ha lettere della sirocchia, che le vanno come pare
loro, e che le menano la coda più che mai;[1] e molto si dolse di
questa cosa. Pure io l'andai racconsolando, dicendo che non se ne
maravigliasse, che gli era usanza delle città grandi non star ferme
molto in un proposito, e di fare oggi una cosa e domani disfarla;
e gli allegai Roma ed Atene,[2] tale che si racconsolò tutto, e mi ha
quasi promesso: per altra intenderete il seguito.

Questa mattina questi frati hanno fatto il ministro generale, che
è il Soncino, quello che era prima huomo, secondo frate, humano
e dabbene. Questa sera debbo essere innanzi alle loro paternità,
e per tutto domani credo essere spedito, che mi pare ogni hora
mille, e mi starò un dì con vostra Signoria, *quae vivat et regnet
in saecula saeculorum*.

   Addì 18 di Maggio 1521.

                            Nicolaus Maclavellus
                 Orator pro Repub. Flor. ad Fratres minores.

                              XVI

                   A FRANCESCO GUICCIARDINI

            Magnifico D. Francisco de Guicciardinis etc.

Cazzus! E' bisogna andar lesto con costui perché egli è trincato[3]
come il trentamila diavoli. E' mi pare che e' si sia avveduto che
volete la baia perché quando il messo venne, e' disse — Togli, ci
debbe essere qualche gran cosa; i messi spesseggiano: poi, letta
la vostra lettera disse — Io credo che il governatore strazi[4] me e
voi. Io feci Albanese Messere,[5] e dissi, come io lasciai certa pratica a Firenze di cosa che apparteneva a voi e a me, e vi havevo

---

1. Ossia vanno «scodinzolando» (come si direbbe oggi), più fiere che mai.
Il noto obbligo per le meretrici di andare distinte da un velo giallo
incominciava a diffondersi allora, pare per influenza spagnola, ma si im-
porrà solo più tardi, in Roma e in altri stati ligi al pontefice, con la Con-
troriforma. 2. Par di sentire l'eco di quel passo di Dante nella famosa
invettiva contro l'instabilità dei Fiorentini: «Atene e Lacedemona che
fenno . . .» (*Purg.*, VI, 139). 3. *trincato*: ben rifinito, quindi astuto. Si
parla del solito messer Gismondo. 4. *strazi*: prenda in giro. 5. Ossia
batté in ritirata. Con richiamo a qualche nota scena di commedia, o aned-
doto, in cui un tale che era stato presentato come un albanese, diventava
di colpo poi un *Messere*, ossia un qualunque cittadino di Firenze.

pregato che me ne tenessi avvisato quando di laggiù ne intendevi
cosa alcuna, e che questa era la massima cagione dello scrivere,
in modo che il culo mi fa lappe lappe, che io ho paura tuttavia
che non pigli una granata e rimandimi all'hosteria;[1] sì che io vi
priego che domani voi facciate feria, acciò che questo scherzo non
diventi cattività, pure il bene che io ho havuto non mi sia tratto di
corpo, pasti gagliardi, letti gloriosi, e simili cose, dove io mi sono
già tre dì rinfantocciato.

Questa mattina ho dato principio alla causa della divisione,[2]
oggi ho a essere alle mani, domani crederrò spedirla.

Quanto al predicatore, io non ne credo havere honore,[3] perché
costui nicchia; il padre ministro dice che gli è impromesso ad
altri, in modo che io credo tornarmene con vergogna; e sammene
male assai, che io non so come mi capitare innanzi a Francesco
Vettori e a Filippo Strozzi, che me ne scrissono in particolare, pre-
gandomi che io facessi ogni cosa, perché in questa quaresima e'
potessino pascersi di qualche cibo spirituale che facessi loro pro.[4]
E diranno bene che io gli servo di ogni cosa ad un modo, perché
questo verno passato, trovandomi con loro un sabato sera in villa
di Giovan Francesco Ridolfi, mi dettono cura di trovare il prete
per la messa per la mattina poi; ben sapete che la cosa andò in
modo che quel benedetto prete giunse che gli havevano desinato,
in modo che gli andò sottosopra ciò che vi era, e seppommene il
malgrado. Hora se in quest'altra commissione io rimbolto sopra
la feccia,[5] pensate che viso di spiritato e' mi faranno; pure fo
conto che voi scriviate loro dua versi, e mi scusiate di questo caso
al meglio saprete.

Circa alle historie e la repubblica de' zoccoli, io non credo di
questa venuta havere perduto nulla, perché io ho inteso molte co-
stituzioni ed ordini loro che hanno del buono, in modo che io
me ne credo valere a qualche proposito, massime nelle compara-
zioni, perché dove io habbia a ragionare del silenzio, io potrò

1. Il timore delle conseguenze è burlescamente esagerato. 2. Cfr. lettera del 17 maggio, alla nota 2. 3. *havere honore*: cavarsela con onore, dalla commissione. 4. Anche questa affermazione dobbiamo intenderla come uno scherzo, perché quel che sappiamo di Filippo Strozzi, e soprattutto
di Francesco Vettori, non ci induce proprio a credere che facessero molto
conto di simili predicatori. 5. *rimbolto sopra la feccia*: ci ricasco un'altra volta; ma detto con parole volgari (*rimbolto*, rinvolto, e quindi « mi rin-
voltolo »).

dire — Gli stavano più cheti che i frati quando mangiano —; e così
si potrà per me addurre molte altre cose in mezzo, che mi ha
insegnato questo poco dell'esperienza.[1]

Addì 19 di Maggio 1521.

Vostro Nicolò Machiavelli.

XVII

A FRANCESCO GUICCIARDINI

(*frammento*)

... Ho atteso e attendo in villa a scrivere la historia, e pagherei
dieci soldi, non voglio dir più, che voi foste in lato che io vi potessi mostrare dove io sono, perché havendo a venire a certi particolari, harei bisogno d'intendere da voi se offendo troppo o con
l'esaltare o con l'abbassare le cose; pure io mi verrò consigliando,
e ingegnerommi di fare in modo che, dicendo il vero, nessuno si
possa dolere.[2]

Addì 30 di Agosto 1524.

Vostro Niccolò Machiavelli.

XVIII

A FRANCESCO GUICCIARDINI

Magnifico D. Francisco de Guicciardinis etc.

Signor Presidente. Io ho differito lo scrivervi ad oggi, perché io non
ho potuto prima che oggi andare a vedere la possessione di Colombaja: sì che vostra S.ria mi harà di questo indugio per iscusato.[3]

---

1. Allusione a quanto gli aveva scritto lo stesso Guicciardini nella lettera
del 18 maggio qui riportata. 2. Parla, come è chiaro, delle sue *Istorie fiorentine*, che stava allora terminando, e vorrebbe chieder consiglio
al Guicciardini, così buon diplomatico, su certi particolari dei fatti più
recenti dove entravano in causa i Medici. 3. Il Guicciardini, sempre
assente da Firenze, comprati senza averli visti due poderi, quello di
Colombaia e quello di Finocchieto presso Arcetri, aveva poi incaricato il
M. di dirgliene qualcosa, e quale fosse preferibile per abitarci. Il consiglio del M., di rinunciare alla villa di Finocchieto preferendo invece la Colombaia, non parve buono al Guicciardini; il quale in seguito, avendo visto il primo o avendone avute migliori notizie, scrisse all'indirizzo del-
l'amico una curiosa e graziosa lettera (che riportiamo qui in appendice
a questa) nella quale «Madonna da Finocchieto» (nome immaginario
che rappresenta la villa stessa personificata) si lamenta col M. di essere

Rem omnem a Finochieto ordiar.[1] E vi ho a dire la prima cosa
questo, che tre miglia intorno non si vede cosa che piaccia: l'Arabia Petreja non è fatta altrimenti. La casa non si può chiamare
cattiva, ma io non la chiamerò mai buona, perché la è sanza quelle
commodità che si ricercono; le stanze sono piccole, le finestre sono
alte: un fondo di torre non è fatto altrimenti. Ha innanzi un pratello abbozzato;[2] tutte l'uscite ne vanno in profondo,[3] da una in
fuora che ha di piano forse 100 braccia; e con tutto questo è
sotterrata intra monti talmente, che la più lunga veduta non passa
un mezzo miglio. I poderi, quello che rendono vostra S.ria lo sa,
ma eglino portano pericolo di non rendere ogni anno meno; perché eglino hanno molte terre che l'acqua le dilava talmente, che se
non vi si usa una gran diligenzia a ritenere il terreno con fôsse, in
poco tempo e' non vi sarà se non l'ossa; e questa vuole il signore,
e voi state troppo discosto.[4] Io sento che i Bartolini hanno fatto
incetta di quello paese, e che manca loro casa da hoste:[5] quando
voi potessi appiccarlo loro addosso,[6] io ve ne conforterei, perché
un bene loro sta, vi dovrebbe cavare di danno. Quando costoro
non vi venghino sotto, o volendolo tenere o volendolo vendere,
io vi conforterei a spendervi 100 ducati; co' quali voi fornireste
il pratello, circuiresti di vigna quasi tutto il poggio che regge la
casa, e faresti otto o dieci fosse in quelli campi che sono fra la
casa vostra e quella del primo vostro podere, i quali campi si
chiamano la Chiusa: nelle quali fôsse io porrei frutti vernerecci e
fichi; farei una fonte ad una bella acqua che è nel mezzo di quelli
campi apiè d'una pancata, che è quanto di bello vi è. Questo acconcime[7] vi servirà all'una delle due cose: la prima, che se voi lo
vorrete vendere, chi lo verrà a vedere, vede qualche cosa che gli
piaccia, e forse gli verrà voglia di ragionar del mercato; perché

stata così mal giudicata da lui, e protesta l'amor suo al Guicciardini, che
spera ricambiato. Da ricordare che a Finocchieto effettivamente il Guicciardini si ritirò, facendone sua residenza favorita, negli ultimi anni, e ivi
morì nel 1540.   1. «Comincierò tutta la storia da Finocchieto», scherzosa parodia dello stile classico lat.   2. *un pratello abbozzato*: un prato-
giardino appena tracciato.   3. ... *in profondo*: sboccano in luoghi chiusi
(da pendii o da colli).   4. In conclusione, gli sembrava che quel podere
richiedesse la presenza del padrone, mentre il Guicciardini era troppo
lontano.   5. *fatto incetta*...: comperato molta terra nella zona, senza
avere però casa da abitarvi.   6. *appiccarlo loro addosso*: sbarazzarsi del
podere, rivendendolo («rifilandolo») a loro.   7. *acconcime*: acconciamen-
to, abbellimento.

mantenendolo così, e i Bartolini non lo comperino, io non credo
lo vendiate mai, se non a chi non lo venissi a vedere, come facesti
voi. Quando voi lo vogliate tenere, detti acconcimi vi serviranno
a ricôrvi più vini, che sono buoni; e a non vi morire di dolore
quando andrete a vederlo. Or *de Finochieto satis.*[1]

Di Colombaja, io vi confermo per quanto si può vedere con
l'occhio tutto quello che Iacopo vi ha scritto e che Girolamo vi
ha detto. Il podere siede bene,[2] ha le strade ed i fossi intorno la
valla, e volta fra mezzodì e levante: i terreni appariscono buoni,
perché tutti i frutti vecchi e giovani hanno vigore assai e vita
addosso: ha tutte le comodità di chiesa, di beccajo, di strada, di
posta, che può avere una villa propinqua a Firenze: ha de' frutti
assai bene, e nondimeno vi è spazio da duplicargli. La casa è in
questo modo fatta. Voi entrate in una corte la quale è per ogni
verso circa 20 braccia; ha nella fronte dirimpetto all'uscio una
loggia col palco di sopra, ed è lunga quanto lo spazio della corte,
e larga circa 14 braccia. Ha questa loggia in su la mano ritta a
chi guarda verso quella, una camera con una anticamera, e in su
la mano manca una sala, con camera e anticamera: tutte queste
stanze con la loggia sono abitabili, e non dishonorevoli: ha in su
questa corte cucina, stalla, tinaja, e un altro cortile per polli e
per nettare la casa. Ha sotto due volte da vino vantaggiate;[3] ha
di sopra molte stanze, delle quali ve ne sono tre, che con 10 ducati si rassetterebbono da alloggiarvi huomini dabbene; i tetti non
sono né cattivi né buoni: in somma, io vi concludo questo, che con
la spesa di 150 ducati voi abitereste comodamente, allegramente e
non punto dishonorevolmente. Questi 150 ducati bisognerebbe
spendergli in rifare uscia, lastricare corti, rifare muricciola, rimettere una trave, rassettare una scala, rifare una gronda del tetto,
racconciare e ravvistare una cucina, e simili pateracchie che dareb-
bono vista e allegrezza alla casa; e così con questa spesa potresti
abitare tanto, che vi venissi bene d'entrare in uno mare magno.

Quanto all'entrate,[4] io non le ho ancora discontre a mio modo,
per non ci essere uno a chi io desidero parlare. Per altra ne darò
a vostra S.ria avviso particolare.

Questa mattina io ricevetti la vostra, per la quale mi avvisavi

1. «E ora basta in quanto a Finocchieto.» Cfr. nota 1 alla pagina precedente. 2. *siede bene*: è ben situato. 3. .... *vantaggiate*: due ottime cantine pel vino. 4. *entrate*: del podere, la sua rendita.

in quanta grazia io ero con la Maliscotta: di che io mi glorio più
che di cosa che io habbia in questo mondo. Fiemi caro di es-
serle tenuto raccomandato.

Delle cose de' re, delli imperadori e de' papi, io non ho che
scrivervi: forse che per altra ne harò, e scriveròvvi.

Prego V. S. diciate a madonna V., come io ho fatto le saluta-
zioni a tutti i suoi e le sue, e in particulare ad Averardo; i quali
tutti si raccomandano a V. S. e a lei. Ed io a V. S. infinitissime
volte mi raccomando e offero.[1]

Addì 3 d'Agosto 1525.

                                        Vostro Niccolò Machiavegli in Firenze.

XIX

FRANCESCO GUICCIARDINI A NICCOLÒ MACHIAVELLI

Al Machiavello Madonna di Finocchieto desidera salute
e purgato giudizio.

(minuta)

*Se io credessi che quello che tu scrivesti di me al padrone e signor
mio, tu l'havessi scritto malignamente, non durerei fatica per dimos-
trarti perché sendo nata in questi monti solitari, non ho tanta elo-
quenza, che mi dessi il cuore di rimuoverti da questa malignità;
e perché io reputo che sia più vendetta lasciare confirmare e ostinare
il maligno nella sua malignità, che col fare nota la verità, farlo arros-
sire. Ma persuadendomi che tanto sia proceduto da errore, che se non
è honorevole ha pure dello escusabile, mi pare che sia ufficio di humanità e cortesia, la quale in me è maggiore che non comporta questo*

---

1. Come si capisce dai complimenti del finale, il M. era stato poco prima
presso il Guicciardini a Faenza. E là era piaciuto, fra l'altro, a questa Maliscotta o Mariscotta, stando a un biglietto del Guicciardini in data 29
luglio 1525: («Non voglio già tacere che io comprendo che doppo la partita vostra la Mariscotta ha parlato di voi molto honorevolmente, e lodato
assai le maniere ed intrattenimenti vostri: di che a me ne gode il cuore,
perché desidero ogni vostro contento; e vi assicuro che se tornerete in
qua sarete ben visto, e forse meglio carezzato...») Non sappiamo chi
fosse questa signora, e potrebbe esser giusta l'ipotesi (avvalorata da un'altra lettera del M.) che si trattasse di una di quelle cantatrici o attrici, come Barbara Salutati, che il Guicciardini intratteneva volentieri, curan-
dosi anche (come si è visto a proposito della *Mandragola*) degli spetta-
coli e divertimenti delle città che aveva in governo.

*luogo e che non mostra la presenza mia, farti avvertito del vero;
e tanto più volentieri lo fo, quanto essendo io donna non posso havere in odio la origine dello errore tuo che medesimamente procede
da donna, e benché allevata con costumi inhonesti e che a me dispiac-
ciono è pure donna; e la similitudine del sesso non permette che tra
noi non sia qualche scintilla di benevolenza. Sei uso con la tua
Barbara, la quale come fanno le pari sue si sforza piacere a tutti e
cerca piuttosto di apparire che di essere; però gli occhi tuoi avvezzi
in questa conversazione meretricia non si appagano tanto di quello
che è, quanto di quello che pare; e pure che vi sia un poco di vaghezza
non considerano più oltre gli effetti. Ma tu che hai letto e composto
tante Istorie e veduto tanto del mondo, dovevi pure sapere che altro
adornamento, altra bellezza, altro modo di comporsi e di apparire si ricerca in una che vive con tutti e ama nessuno, che in quelle
che piene di casti pensieri non hanno altro studio che di piacere a
quello solo a chi honestamente e legittimamente sono date. E se
pure per la lunga pratica di simili, ché intendo non sei mai vissuto
altrimenti, hai fatto sì male habito, che le corrotte loro usanze ti
paiono buone e degne delle nostre pari, dovevi pur ricordarti che era
temerità fare giudizio in uno momento; e che le cose s'hanno a giudicare, non dalla superficie, ma dalla sostanza loro; e che sotto
quella rigidità e asprezza che a primo aspetto si mostrava in me,
potevano essere nascoste tante parti di bene, che io meritavo essere
laudata, non così ingiuriosamente biasimata. E di questo se non altri
ti doveva pure fare avvertente la tua Barbara, che benché il suo
nome denoti tutta crudeltà e fierezza, ha raccolto in sé, di che voglio
stare a tuo detto, tanta gentilezza e tanta pietà che ti condirebbe
una città.*

*Ma io voglio dirti le qualità mie con animo, che se accorto della
verità revocherai quello che scrivesti di me, non solo di perdonarti
la ingiuria fatta, ma essere ancora contenta che delle frutte delle
quali sono pieni tutti i miei campi, si faccia ogni anno buona parte
alla tua Barbara: maggiore piacere non saprei farti che intratte-
nere, come la merita, colei che è le delizie e il cuore tuo. E perché
tu vegga quanto il giudizio tuo fu fallace, ti dico principalmente
che una delle mie laudi consiste in quella cosa che ti fece prorom-
pere tanto inconsideratamente a biasimarmi, perché havendo io
dato lo amore mio a uno solo, pensai sempre non piacere a altri
che a lui; e però mi sono mantenuta con quella rigidità e asprezza*

che tu vedi, la quale se io havessi studiato a apparire agli occhi di ognuno, harei molto bene saputo mitigare; perché non debbi credere, che ancora che io sia nata in queste alpi, mi manchi il modo e le arti di pulirmi; le quali quando non havessi così bene saputo, né havessi havuto comodità di impararle da altri, mi rende certo che tu come sei amatore di tutte le donne e vivuto lungamente tra loro, haresti voluto e saputo insegnarmele. Ma io non ho havuto mai obbietto di vivere se non con uno, e però pure che in altro gli dessi causa di amarmi, ho lasciato da canto tutte le vanità e vaghezze che mi potevano fare piacere a molti, giudicando fussi buono a essere amata da lui che e' cognoscessi in me questa costumatezza e honestà, sanza che, come sono naturalmente gli uomini amici della varietà, ho giudicato che a lui, che ne' luoghi vicini alla città a comparazione di queste sono solite a ornarsi e farsi vaghe, potessi più piacere il trovare quando veniva qua questa salvatichezza e asperità, a che gli occhi suoi non erano così usi, che se havessi trovato le bellezze e gli ornamenti di questa medesima specie che quelli ne' quali è ogni dì e ogni hora. E in questo lo artificio mio è stato doppio, perché quello con che io credevo più piacere a lui, mi faceva sperare che manco piacerei agli altri; cosa da me molto desiderata, perché sendo mal vaga di havere a fare ogni dì con nuovi huomini, e amando teneramente quello con chi vivo hora, e sapendo come tu hai fatto più con quegli che considerano le cose dalla corteccia che dalla midolla, ho caro che se pure lui gli venissi mai vòglia di alienarmi, non truovi così facilmente a chi io piaccia, e sia forzato quasi per necessità a tenermi seco.

Vedi adunque, Machiavello, quanta laude io merito, e quanto io sono da essere tenuta più cara per quella cagione che a te dispiacque tanto; e impara altra volta a non ti fidare tanto di te medesimo e della tua resoluzione, che non consideri più maturamente innanzi che tu giudichi, perché molte scuse sono ammesse agli altri, che nella prudenza e esperienza tua non si accettano.

XX

A FRANCESCO GUICCIARDINI

Al magnifico M. Francesco Guicciardini ecc.

Magnifico e honorando messer Francesco. Io ho tanto penato
a scrivervi, che la S.ria vostra è prevenuta.[1] La cagione del penar
mio è stata perché parendomi che fosse fatta la pace,[2] io credevo
che voi fosse presto di ritorno in Romagna, e riserbavomi a parlarvi a bocca, benché io havessi pieno il capo di ghiribizzi, de'
quali ne sfogai, cinque o sei dì sono, parte con Filippo Strozzi;
perché scrivendoli per altro, e' mi venne entrato nel ballo, e di-
sputai tre conclusioni,[3] l'una, che non obstante l'accordo il re non
sarebbe libero; l'altra, che se il re fosse libero osserverebbe l'accordo; la terza che non l'osserverebbe. Non dissi già quale di
queste tre io mi credessi, ma bene conclusi che in qualunque di
esse l'Italia haveva da havere guerra, e a questa guerra non detti
rimedio alcuno. Hora, veduto per la vostra lettera il desiderio vostro, ragionerò con voi quello che io tacetti con lui, e tanto più
volentieri, havendomene voi ricerco.[4]

   Se voi mi domandasse di quelle tre cose quella che io credo, io
non mi posso spiccare da quella fissa oppinione che io ho sempre
hauta, che il re non habbia a essere libero, perché ognuno conosce
che quando il re facesse quello che potrebbe fare e' si taglierebbe-
bono tutte le vie all'inperatore di potere andare a quel grado
che si ha disegnato.[5] Né ci veggo né cagione, né ragione che

─────────────

1. *penato . . . prevenuta*: «tardato . . . che la S.ria vostra è arrivata prima» (con una sua lettera). – Per le formule riguardose e cerimoniose con
cui il M. iniziava le sue lettere al Guicciardini, specie dopo che egli era
divenuto governatore di tutta la Romagna, e malgrado la crescente amicizia tra loro, abbiamo una spiritosa protesta del Guicciardini stesso: in
una lettera da Faenza del 7 agosto del 1525, della quale però il M. non
sembra tenesse conto.   2. La lettera è del 15 marzo 1526, quando ancora
non erano giunte notizie se non confuse del trattato di Madrid (14 gennaio 1526) fra l'imperatore Carlo V e il re di Francia Francesco I, che era
là suo prigioniero dopo l'infelice battaglia di Pavia.   3. *scrivendoli per
altro . . . conclusioni*: scrivendogli per altre ragioni, gli venne fatto di
entrare in argomento, esaminando queste tre ipotesi.   4. Dalle decisioni
di Madrid, e da quello che ne sarebbe seguìto, dipendeva il destino del-
l'Italia. Naturale dunque la preoccupazione del Guicciardini, che aveva
voluto sentire cosa ne pensasse il M.   5. Cioè a diventare (come aveva
scritto già in una sua del 3 gennaio) «dominus rerum», arbitro anzi padrone assoluto d'Italia e d'Europa.

basti, che lo habbia mosso a lasciarlo; e, secondo me, e' conviene
che lo lasci,[1] o perché il suo consiglio sia stato corrotto, di che i
Franzesi sono maestri, o perché vedesse questo ristringimento
certo tra gl'Italiani e il regno,[2] né gli paresse havere tempo né
modo a poterlo guastare senza la lasciata del re, e che credesse,
lasciandolo, che egli havesse ad osservare i capitoli;[3] e il re in
questa parte debbe essere stato largo promettitore; e dimostro
per ogni verso le cagioni delli odii che gli ha con gl'Italiani, e
altre ragioni che poteva allegare per assicurarlo dell'osservanza.
Nondimeno tutte le ragioni che si potessino allegare, non guari-
scono l'inperatore dello sciocco, quando voglia essere savio il re;
ma io non credo voglia essere savio.[4] La prima ragione è che fino
a qui io ho veduto che tutti i cattivi partiti che piglia l'inperatore
non gli nuocono, e tutti i buoni che ha preso il re non gli giovano.
Sarà, come è detto, cattivo partito quello dell'inperatore lasciare
il re, sarà buono quello del re a promettere ogni cosa per essere
libero; nondimeno, perché il re l'osserverà, il partito del re diventerà cattivo e quello dell'inperatore buono. Le cagioni che lo farà
osservare io le ho scritte a Filippo, che sono, bisognarli lasciare li
figlioli in prigione; quando non osservi, convenirli affaticare il regno, che è affaticato; convenirli affaticare i baroni a mandarli in
Italia, bisognarli tornare subito ne' travagli, i quali, per li esempli
passati, lo hanno a spaventare, e perché ha egli a fare queste cose
per aiutare la Chiesa e i Viniziani, che lo hanno aiutato rovinare.
E io vi scrissi, e di nuovo scrivo, che grandi sono gli sdegni che
il re debbe havere con gli Spagnoli, ma che non hanno ad essere
molto minori quelli che puote havere con gl'Italiani. So bene che
ci è che dire questo, e direbbesi il vero, che se per quest'odio
egli lascia rovinare l'Italia, potrebbe dipoi perdere il suo regno;
ma il fatto sta che la intenda egli così, perché libero che sia, e'
sarà in mezzo di due difficultà, l'una di torsi la Borgogna e per-

---

1. *conviene che lo lasci*: bisogna pensare che si sia indotto a lasciarlo andare (cioè a liberare il re di Francia dalla prigionia). 2. I maggiori principi italiani, e specialmente il papa Clemente VII, spaventati dalla stra-
potenza di Carlo V, avevano cominciato a manifestare la loro tendenza ad
una maggiore unione (*ristringimento*) col vinto Francesco I. 3. *i capitoli*:
le condizioni del trattato. 4. Giudizio giusto, in genere, sul carattere e
sulle capacità di Francesco I, che nella sua lunga lotta col rivale non riuscì
mai a sfruttare nessuna delle buone situazioni in cui si trovò. Fallì invece
il M., come si sa, la previsione che segue. Perché Francesco I appena
liberato non pensò ad altro che a rinnovar la guerra.

dere l'Italia, e restare a discrezione dell'inperatore, e l'altra, per
fuggir questo, diventare come parricida e fedifrago. Nelle difficultà soprascritte sarebbe per aiutare huomini infedeli e instabili,
che per ogni leggier cosa, vinto che egli havesse, lo farebbono ri-
perdere. Sì che io mi accosto a questa oppinione, o che il re non
sia libero, o che, se sarà libero, egli osserverà; perché lo spaven-
tacchio di perdere il regno, perduta che sia l'Italia, havendo, come
voi dite, il cervello francese, non è per muoverlo in quel modo
che muoverebbe un altro. L'altra, che egli non crederrà, che la
ne vadia in fumo, e forse crederrà poterla aiutare poiché l'harà
purgato qualche suo peccato, ed egli non habbia rihauto i figlioli
e rinsanguinatosi. E se tra loro fossono patti di divisione di preda,
tanto più il re osserverebbe i patti, ma tanto più l'inperatore sarebbe pazzo a rimettere in Italia chi ne havesse cavato, perché ne
cacciassi poi lui. Io vi dico quello che io credo che sia, ma io non
vi dico già che per il re e' fosse più savio partito, perché doverrebbe mettere di nuovo a pericolo sé, i figlioli e il regno per abbassare sì odiosa, paurosa e pericolosa potenzia. E i rimedi che
ci sono mi paiono questi; vedere che il re, subito che gli è uscito,
habbia appresso uno, che con l'autorità e persuasioni sue, e di
chi lo manda, gli faccia sdimenticare le cose passate, e pensare
alle nuove; mostrigli il concorso dell'Italia; mostrigli il partito
vinto, quando voglia essere quel re libero che doverrebbe desiderare di essere. Credo che le persuasioni e i prieghi potrieno giovare, ma io credo che molto più gioverebbono i fatti.[1]

Io stimo che in qualunque modo le cose procedino, che gli
habbia ad essere guerra, e presto, in Italia; perciò e' bisogna
agl'Italiani vedere di havere Francia con loro, e quando non la
possino havere, pensare come e' si voglino governare. A me pare
che in questo caso ci sieno un de' duoi partiti, o lo starsi a discrezione di chi viene, e farseli incontro con danari, e ricomperarsi;
o sì veramente armarsi, e con le armi aiutarsi il meglio che si può.
Io per me non credo che il ricomperarsi, e che danari bastino,
perché se bastassino, io direi, fermiamoci qui, e non pensiamo ad
altro, ma e' non basteranno, perché o io sono al tutto cieco, o vi
torrà prima i danari e poi la vita, in modo che sarà una specie

1. Anch'egli accede al giudizio comune, che spinse di lì a poco Clemente VII, Firenze, Venezia, e l'ultimo Sforza, a stringere con Francesco I la Lega di Cognac contro l'imperatore.

di vendetta fare che ci truovi poveri e consumati, quando e' non riuscisse ad altri il difendersi. Pertanto io giudico che non sia da differir l'armarsi,[1] né che sia da aspettare la resoluzione di Francia, perché l'inperatore ha le sue teste delle sue genti,[2] hàlle alle poste, può muovere la guerra a posta sua quando egli vuole. A noi conviene fare una testa, o colorata o aperta, altrimenti noi ci leveremo una mattina tutti smarriti: loderei fare una testa sotto colore.[3] Io dico una cosa che vi parrà pazza: metterò un disegno innanzi che vi parrà o temerario o ridicolo; nondimeno questi tempi richieggono deliberazioni audaci, inusitate e strane. Voi sapete e sallo ciascuno che sa ragionare di questo mondo, come i popoli sono vari e sciocchi: nondimeno, così fatti come sono, dicono molte volte che si fa quello che si doverrebbe fare. Pochi dì fa si diceva per Firenze che il signor Giovanni de' Medici rizzava una bandiera di ventura per far guerra dove gli venisse meglio.[4] Questa voce mi destò l'animo a pensare che il popolo dicesse quello che si doverrebbe fare. Ciascuno credo che creda che fra gl'Italiani non ci sia capo, a chi li soldati vadino più volentieri dietro, né di chi gli Spagnuoli più dubitino, e stimino più: ciascuno tiene ancora il signore Giovanni audace, impetuoso, di gran concetti, pigliatore di gran partiti; puossi adunque, ingrossandolo segretamente, fargli rizzare questa bandiera, mettendogli sotto quanti cavalli e quanti fanti si potesse più. Crederranno gli Spagnuoli questo essere fatto ad arte, e per adventura dubiteranno così del re, come del papa, sendo Giovanni soldato del re;[5] e quando questo si facesse, ben presto farebbe aggirare il cervello agli Spagnuoli, e variare i disegni loro, che hanno pensato forse rovinare la Toscana e la Chiesa senza obstacolo.[6] Potrebbe far mutare opinione al re,

1. Virilmente animoso come sempre, il M. dice che si potrà anche perdere (come infatti avvenne), ma dato che pur senza guerra l'Italia sarebbe caduta in preda dell'imperatore, era meglio tentar la sorte delle armi; e soprattutto fidarsi più delle forze proprie che di Francesco I. 2. *ha le sue teste* ...: ha già pronti i luoghi dove far testa con i suoi eserciti. 3. *fare una testa sotto colore*: prepararsi a un punto di forza, mascherando le intenzioni. 4. Si tratta di Giovanni de' Medici, figlio delle seconde nozze di Caterina Sforza con un Giovanni del ramo cadetto dei Medici: condottiero di professione e detto « delle Bande Nere », perché aveva messa una lista di lutto alle sue insegne dopo la morte del suo protettore Leone X. 5. *soldato del re*: agli stipendi del re di Francia. 6. Il M. precorre in queste righe quello che diventò presto il sentimento popolare: di lì a poco, iniziatasi la guerra e mostratasi subito la debolezza delle forze italiane

e volgersi a lasciare l'accordo e pigliare la guerra, veggendo di
havere a convenire con genti vive, e che, oltre alle persuasioni,
gli mostrano i fatti. E se questo rimedio non ci è, havendo a far
guerra, non so qual ci sia; né a me occorre altro; e legatevi a dito
questo, che il re se non è mosso con forze e autorità, e con cose
vive, observerà l'accordo, e lasceràvvi nelle peste, perché essendo
venuto in Italia più volte, e voi havendogli o fatto contro, o stati a
vedere, non vorrà che anco questa volta gl'intervenga il medesimo.

La Barbera si truova costì: dove voi gli possiate far piacere, io
ve la raccomando, perché la mi dà molto più da pensare che l'inperatore.

Addì 15 di Marzo 1525 [1526].

Niccolò Machiavelli.

[GLI ULTIMI TRAVAGLI E LA MORTE]

XXI

A FRANCESCO VETTORI

Al mio molto honorando et magnifico Francesco Vettori.

In Firenze.

Honorando Francesco mio. Poiché la triegua fu fatta a Roma,
e che si vidde come la non era voluta da questi imperiali osservare,[1] messer Francesco[2] scrisse a Roma come egli era necessario

al comando del poco energico duca d'Urbino, il «signor Giovanni» si pre-
sentò per un momento alle fantasie di tutti come l'unico valido difensore
d'Italia; e grande fu lo scoramento prodotto dalla sua morte, avvenuta in
una scaramuccia sul Po a sud di Mantova, che aprì ai lanzichenecchi la via
di Roma.   1. Clemente VII, timido e irresoluto di natura, scarso di finanze
e sbigottito per il mancato aiuto di Francesco I, dopo essere già stato spaventato in Roma da una sollevazione dei Colonnesi assoldati dall'imperatore, si era ora deciso ad una tregua col viceré di Napoli che minacciava
la città dal sud, sperando di poterla trasformare in una tregua generale per
tutta Italia, e quindi in una pace. Ma siccome le truppe imperiali del
nord non sembravano curarsene, questa famosa tregua poteva riuscire
dannosissima, anzi si andava rivelando quello che in effetti era: un vero
«tradimento» (come scriverà poi il Guicciardini nella sua *Storia d'Italia*),
allo scopo di portare il disordine nel campo dei collegati e avere più facilmente in mano il papa disarmato.   2. Il Guicciardini: che vediamo
agire ora in pieno accordo col M., e forse anche consigliato da lui. Si
ricordi che in Firenze, malgrado la signoria dei Medici (rappresentati

pigliare uno de' tre partiti; o ritornare alla guerra con tali termini,
che tutto il mondo intendesse che mai più si haveva a ragionare
di pace, acciò che Francia, Viniziani e ognuno, senza rispetto o
sospetto, facesse suo debito, dove mostrò essere ancora molti rimedi, volendo massime il papa aiutarsi; o vero, quando questo
non piacesse, pigliare il secondo, che sarebbe al tutto contrario
a questo primo, di tirare drieto a questa pace con ogni diligentia,
e mettere il capo in grembo a questo vicerè, e lasciarsi per questa
via governare alla fortuna; o veramente, stracco nell'uno di questi
partiti, e invilito nell'altro, pigliare un terzo partito, quale non
importa, né accade dire hora.[1] Ha questo dì messer Francesco risposta da Roma, come il papa è volto a pigliare quel secondo partito di gittarsi tutto in grembo al vicerè e alla pace, il quale se
riuscirà sarà per hora la salute nostra; quando non riesca, ci farà
in tutto abbandonare da ognuno. Se gli è per riescire o no, voi
lo potete giudicare come noi; ma solo vi dico questo, che messer
Francesco ha fatto in ogni evento questa deliberazione, di aiutare
le cose di Romagna, mentre vede che a sedici soldi per lira che le
si possino difendere,[2] ma come le vedrà indefensibili, senza rispetto alcuno abbandonarle; e con quelle forze italiane che si
troverrà, e con quelli danari che gli saranno rimasi, venirne a cotesta volta per salvare in qualunque modo Firenze e lo stato suo.
E state di buona voglia, che si difenderà in ogni modo.

Questo esercito imperiale è gagliardo e grande; nondimeno se
non riscontra chi si abbandoni, e' non piglierebbe un forno.[3] Ma

allora da due giovinetti, Ippolito, figlio naturale del magnifico Giuliano
morto nel 1516, e Alessandro, figlio naturale di Lorenzo duca d'Urbino
morto nel 1518, ambedue affidati all'inetto cardinal di Cortona), conti-
nuavano le forme del governo repubblicano: vi era Gonfaloniere Luigi
Guicciardini, fratello di Francesco, e aveva assunta una certa autorità il
vecchio amico di Machiavelli, Francesco Vettori. 1. Pare, perché troppo
rovinoso e disperato: forse la decisione di accedere all'invito dell'imperatore recandosi addirittura in mano sua a Barcellona. 2. *che a sedici soldi
per lira . . .*: che ci sia una buona probabilità (un po' più del 75 per cento) di riuscire nell'intento. 3. Nella sua sdegnosa audacia, il M. non
pare avesse torto: ben guidato da capi abili e spregiudicati, l'esercito
imperiale era però un'accozzaglia di bande di saccheggiatori, più desi-
derosi di rapine che di vera guerra, privo di artiglierie, e incapace di
condurre un assedio, come del resto fu dimostrato dall'assedio di Firenze
non molto tempo dopo. Ma i capi dei Collegati, benché potessero contare
in genere su migliori soldatesche, erano inetti, irresoluti, e divisi da contrastanti interessi. Facile perciò prevedere la catastrofe: come fa il M.
qui, con ira e dolore.

è ben pericolo che per fiacchezza non cominci una terra a girarli
sotto, e come cominci una, tutte le altre vadino in fumo; il che
è nel numero di quelle cose che fanno pericolosa la difesa di questa provincia.¹ Nondimanco, quando la si perdesse, voi, se non
vi abbandonate, vi potete salvare; e difendendo Pisa, Pistoia,
Prato e Firenze, harete con loro² un accordo, che se sarà grave,
non fia al tutto mortale. E perché quella deliberazione del papa
è per ancora segreta rispetto a questi collegati, e per ogni altro
rispetto, vi priego non comunichiate questa lettera. *Valete.*

   Addì 5 d'Aprile 1527.

                            Niccolò Machiavelli in Furlì.

XXII
A GUIDO MACHIAVELLI

Al mio caro figliuolo Guido di Niccolò Machiavegli.

                                     In Firenze.

Guido figliuolo mio carissimo. Io ho havuto una tua lettera, la
quale mi è stata gratissima, massime perché tu mi scrivi che sei
guarito bene, che non potrei havere hauto maggiore nuova; ché
se Iddio ti presta vita, e a me, io credo farti uno huomo da bene,
quando tu vuogli fare parte del debito tuo; perché, oltre alle grandi
amicizie che io ho, ho fatto nuova amicizia con il cardinale Cibo
e tanto grande, che io stesso me ne maraviglio, la quale ti tornerà a proposito; ma bisogna che tu impari, e poiché tu non hai
più scusa del male, dura fatica a imparare le lettere e la musica,
ché vedi quanto honore fa a me un poco di virtù che io ho;³ sì che,
figliuolo mio, se tu vuoi dare contento a me, e far bene e honore

1. L'Italia.   2. *harete con loro*: riuscirete a fare con loro, con gl'imperiali...   3. *un poco di virtù*...: quel poco di valore e di fama che egli aveva
potuto acquistare come uom di lettere. Per l'amicizia col cardinale Cibo,
legato ai Medici e imparentato con loro, si deve tener presente che, vol-
gendo chiaramente al peggio le sorti della guerra mossa da Clemente VII
(che coinvolgeva perciò Firenze) con Venezia e con Francesco I contro
l'imperatore, i Medici e specialmente il papa, ansiosi della sorte di Firenze, avevano finalmente abbandonato ogni ombra di sospetto verso il
Machiavelli. Così, lo vediamo incaricato di visitare le mura della città
per prepararle a una eventuale difesa, secondo i desideri del papa; e quindi
inviato dagli Otto di Pratica (essendo stati aboliti i Dieci) per tenere il
collegamento tra la Signoria e il Guicciardini che era con le forze papali
in Romagna.

a te, fa' bene e impara, ché se tu ti aiuterai, ciascuno ti aiuterà.

El mulettino, poiché gli è impazzato, si vuole trattarlo al contrario degli altri pazzi: perché gli altri pazzi si legano, e io voglio che tu lo sciolga. Daràlo ad Angelo, e dirai che lo meni in Montepugliano, e dipoi gli cavi la briglia e il capestro, e lascilo andare dove vuole a guadagnarsi il vivere e a cavarsi la pazzia. Il paese è largo, la bestia è piccola, non può fare male veruno; e così sanza haverne briga, si vedrà quello che vuol fare, e sarai a tempo ogni volta che rinsavisca a ripigliallo. Degl'altri cavalli fatene quello che vi ha ordinato Lodovico, il quale ringrazio Iddio che sia guarito, e che gli habbi venduto, e so che gli harà fatto bene, havendo rimessi danari, ma mi maraviglio e dolgo che non habbia scritto.

Saluta mona Marietta, e dille che io sono stato qua per partirmi di dì in dì, e così sto; e non hebbi mai tanta voglia di essere a Firenze, quanto hora; ma io non posso altrimenti. Solo dirai che per cosa che la senta, stia di buona voglia che io sarò costì prima che venga travaglio alcuno.[1] Bacia la Baccina, Piero e Totto, se vi è, il quale harei hauto caro intendere se gli è guarito degli occhi. Vivete lieti, e spendete meno che voi potete. E ricorda a Bernardo che attenda a fare bene, al quale da 15 giorni in qua ho scritto due lettere e non ne ho risposta. Cristo vi guardi tutti.

  Die 11 Aprilis 1527.

                              Niccolò Machiavelli in Imola.

---

1. C'era gran timore in Firenze per l'esercito imperiale, che si apprestava a scendere verso Roma agli ordini del connestabile di Borbone (il grande feudatario francese ribelle al suo re), ma specialmente per le feroci bande dei lanzichenecchi, guidate dal Frundsberg. Il M. in tali frangenti faceva affannosamente la spola tra Firenze e la Romagna, dove Francesco Guicciardini (che era divenuto «luogotenente» del papa) aveva conservato in tanto disordine un esercito, per consultarsi con lui su quello che si potesse fare, specialmente in difesa di Firenze per la quale ambedue temevano il peggio. A queste angoscie e pensieri (aumentate dal fatto che egli, sempre in sott'ordine, vedeva ogni suo consiglio riuscir vano) si aggiungono nel Machiavelli le preoccupazioni per la famiglia, alla quale ora nel pericolo egli maggiormente si stringe.

XXIII

A FRANCESCO VETTORI

· *Al mio molto honorando et magnifico Francesco Vettori.*

In Firenze.

Magnifice vir. L'accordo è stato sempre consigliato di qua per quelle medesime cagioni che voi costì l'havete sempre consigliato; perché veduti i portamenti di Francia e de' Viniziani, veduto il poco ordine che era nelle genti nostre, veduto come al papa era mancato ogni speranza di poter sostenere la guerra del regno,[1] veduta la potenzia e obstinazione de' nimici, si giudicava la guerra perduta, come voi medesimo, quando io mi partii di costì, la giudicavi. Questo ha fatto che si è sempre consigliato l'accordo, ma s'intendeva uno accordo che fusse fermo, e non dubbio e intrigato come questo, che sia fatto a Roma, e non observato in Lombardia; e che ci sieno pochi danari, e quelli pochi bisogni o serbarli per un simile accordo tutto dubbio e restar disarmato; o, per restar armato, pagarli, e rimaner senza essi per l'accordo. E così dove si pensava che uno accordo netto fosse salutifero, uno intrigato è al tutto pernizioso, e la rovina nostra.

Di costì si è hora scritto come l'accordo è quasi fermo,[2] e perché la prima paga è 60 mila scudi, si fa fondamento per la maggior parte in su' danari che sono qui. Qui sono 13 mila ducati in contanti, e sette mila in credito con i Viniziani. Se i nimici vengono innanzi per venire in Toscana, bisogna spenderli in mantenere queste genti, a voler mantenere questa povera città, sì che se voi vi fondate in su l'accordo, conviene si fondi in su uno accordo che fermi queste armi e queste spese. Altrimenti se si mantiene uno accordo intrigato, che faccia che si habbia a provvedere all'accordo e alla guerra, e' non si provvederà né all'uno né all'altro, e ne risulterà male a noi e bene a' nimici nostri, i quali attendono,

---

1. *del regno*: mossagli dal regno di Napoli, dove era un viceré spagnolo.
2. *fermo*: confermato, concluso; dando, s'intende, il papa una buona quantità di denari.

camminando verso di noi, alla guerra, e lasciano voi avvilupparvi
fra la guerra e gli accordi. Sono vostro.

   Addì 14 di Aprile 1527.
                          Vostro Niccolò Machiavelli in Furlì.

                              XXIV

                      A FRANCESCO VETTORI

   Al molto magnifico Francesco Vettori suo honorando.

                                            In Firenze.

Magnifico ec. Monsignor della Motta è stato questo dì in campo
degl'imperiali con la conclusione dell'accordo fatta costì, che se
Borbone lo vuole, egli ha a fermare l'esercito: se lo muove è segno che non lo vuole; in modo che domani ha da essere giudice
delle cose nostre. Pertanto si è qua deliberato, se domani egli
muove, di pensare alla guerra affatto, senza havere un pelo che
pensi più alla pace; se non muove, pensare alla pace, e lasciare
tutti i pensieri della guerra. Con questa tramontana conviene che
voi ancora navighiate, e risolvendosi alla guerra, tagliare tutte le
pratiche della pace, e in modo, che i Collegati venghino innanzi
senza rispetto alcuno, perché qui non bisogna più claudicare, ma
farla all'impazzata; e spesso la disperazione truova de' rimedi che
la electione[1] non ha saputi trovare. Costoro[2] vengono costà senza
artiglieria, in un paese difficile, in modo che se noi quella poca
vita che ci resta, racozziamo con le forze della Lega che sono in
punto, o eglino si partiranno di cotesta provincia con vergogna,
o e' si ridurranno a termini ragionevoli. Io amo messer Francesco
Guicciardini, amo la patria mia più dell'anima;[3] e vi dico questo

1. *la electione*: la scelta, decisione, fatta in libertà d'animo. Consiglia, insomma, Firenze a badare ai casi suoi: rendendosi se è il caso anche auto-
noma dalla politica del papa, e assoldando direttamente le forze dei Collegati.   2. *Costoro*: gli imperiali.   3. Affermazione rimasta famosa, vero
grido dell'animo suo straziato. Perché il M. l'abbia fatta precedere da questa protesta di affetto al Guicciardini, non è chiaro (e d'altronde alcune
parole nel manoscritto risultano qui energicamente cancellate, da altri): può
darsi che egli si compiacesse di trovare finalmente l'amico risoluto quanto
lui; e può anche darsi che volesse dire di esser pronto a staccarsi anche da
lui, se lo trovasse vacillante, per amore della patria (ne' qual caso dovremmo supplire dopo la virgola un «ma», sottinteso o rimasto nella penna, e tener conto del raffronto da noi riferito nella pagina seguente, con la nota 2).

per quella esperienzia che mi hanno dato sessanta anni, che io non credo che mai si travagliassino i più difficili articoli che questi,[1] dove la pace è necessaria, e la guerra non si può abbandonare; e havere alle mani un principe, che con fatica può supplire o alla pace sola o alla guerra sola.[2] Raccomandomi a voi.

Addì 16 d'Aprile 1527.

Niccolò Machiavelli in Furlì.

XXV

GUIDO MACHIAVELLI A NICCOLÒ[3]

Al suo honorando padre Niccolò Machiavegli.

In Furlì.

Jhesus.

Honorando padre salute etc. Per dare risposta alla vostra de' 2 d'Aprile, per la quale intendiamo voi esser sano, che Idio ne sia laudato, e a lui piaccia mantenervi.

Non vi si scripse di Totto, per non l'avere ancora riscoso; ma intendiamo dal balio, non esser ancora guarito degli ochi; ma dice, va tutta via migliorando; sì che statene di buona voglia. El mulectino non s'è ancora mandato in Monte Pugliano, per non esser

1. *i più difficili articoli* . . . : una situazione più intricata della presente. 2. Allusione alla debolezza di Clemente VII, che era ancor complicata dalla timidezza e irresoluzione dell'uomo, quali il M. ben conosceva ma volle tacere. È chiaro comunque che il M. insofferente di tante ambagi avrebbe voluto abbandonare il papa al suo destino, per salvare ad ogni modo Firenze. Ed è stato fatto un curioso raffronto fra lo spirito di questa lettera e le lodi tributate dal Nostro nelle sue *Istorie fiorentine* (III, 7) a quegli *Otto* cittadini che con tanta energia avevano condotto la guerra, chiamata appunto «degli Otto Santi», contro il pontefice Gregorio XI, senza curarsi della sua scomunica: *tanto quelli cittadini stimavano allora più la patria che l'anima.* Se il M. ebbe davvero in mente questo suo passo, anche la sua esclamazione di poche righe innanzi potrebbe assumere un senso tutto speciale cioè che egli, per Firenze, non esiterebbe a «tradire» e il Guicciardini e il papa stesso. 3. La situazione sta ormai precipitando: di lì a pochi giorni, il 26 aprile, in Firenze che si sentiva indifesa si levava contro i Medici un tumulto, sedato a gran fatica, per evitare il peggio alla città, dallo stesso Guicciardini; il 6 maggio Roma cadeva in mano delle bande dei lanzi, e Firenze, nuovamente ribellatasi, cacciava i Medici. La lettera che qui riportiamo, oltre a essere un affettuoso documento della vita familiare del M., riflette bene le angoscie dei Fiorentini.

l'erbe ancora rimesse; ma comunque il tempo si ferma, vi si manderà a ugni modo.

Per lectera vostra a mona Marieta intendemo chome havete compero così bella catena alla Baccina, che non fa mai altro che pensare a questa bella catenuza, e pregare Idio per voi, e che vi faccia tornare presto.

A' Lanziginec non vi pensiamo più, perché ci avete promesso di volere esser con esso noi, se nulla fussi; sì che mona Marietta non à più pensiero.

Vi priegiamo ci scrivete quando i nimici facessino pensiero di venire a' danni nostri, perché habiamo ancora di molte cose in villa: vino e olio; benché habiamo condocto quagiù dell'olio venti o venti tre barili; e ivi le lecta. Le quà' cose ci scrivesti, sapessimo dal Sagrino, se lui le voleva in casa, il che lui l'à acceptate. Ve ne priegamo; perché a condurre tante bazice a Santo Cassiano, bisognia dua over tre dì di tempo.

Noi siamo tutti sani, e io mi sento benissimo, e comincierò questa Pasqua, quando Baccio sia guarito, a sonare e cantare e fare contra punto a tre. E se l'uno e l'altro istarà sano, spero tra un mese potere fare sanza lui; ch'a Dio piaccia. Della gramatica io entro oggi a' participii; e àmmi lecto ser Luca quasi il primo di Ovidio Metamorphoseos; el quale vi voglio, comunche voi siate tornato, dire tutto a mente

Mona Marietta si raccomanda a voi e vi manda 2 camicie, 2 sciugatoi, 2 berrettini, 3 paia di calcetti, e 4 fazoletti. E vi prega torniate presto, e noi tutti insieme. Christo vi guardi, e in prosperità vi mantenga.

Di Firenze, addì 17 d'Aprile MDXXVII.

Vostro Guido Machiavelli in Firenze.

XXVI

A FRANCESCO VETTORI

Al molto magnifico Francesco Vettori suo honorando.

In Firenze.

Honorando Francesco. E' si son condotte queste genti franzese
qui a Berzighella miracolosamente: e così sarà un miracolo se il
duca d'Urbino verrà a Pianoro domani, come pare che il Legato
di Bologna scriva quivi e qui si aspetterà, come io credo, di sapere
quello che ha fatto lui. E, per l'amor di Iddio, poiché questo accordo non si può havere, se non si può havere, tagliate subito subito
la pratica, ed in modo con lettere e con dimostrazioni, che questi
Collegati ci aiutino; perché come l'accordo, quando fosse osservato, sarebbe al tutto la certezza della salute nostra, così, trattarlo senza farlo, sarebbe la certezza della rovina. E che l'accordo
fosse necessario, si vedrà se non si fa; e se il conte Guido[1] dice
altrimenti, egli è un cazzo. E solo voglio disputare con lui questo: Domandatelo, se si potevono tenere[2] che non venissino in Toscana, vi dirà di no, se dirà come egli ha sempre detto per lo ad-
dietro; e così il duca di Urbino. Quando e' sia vero che e' non
si potessino tenere, domandatelo come e' se ne potevono cavare
senza far giornata, e come cotesta città era atta a reggere duoi
eserciti addosso, di qualità[3] che l'esercito amico sia più insopportabile che il nimico. Se vi risolve questo, dite che gli habbia ragione. Ma chi gode della guerra, come fanno questi soldati, sarebbono pazzi se lodassino la pace. Ma Iddio farà che gli haranno
a fare più guerra che noi non vorremo.

Addì 18 d'Aprile 1527.[4]

Niccolò Machiavelli in Berzighella.

1. Il conte Guido Rangone, condottiero emiliano al soldo del papa, che
dopo avere inutilmente cercato di soccorrere Roma, trattenuto dalla pa-
vidità del comandante in capo il duca d'Urbino, era ora a Firenze.
2. S'intende, gli imperiali. 3. *di qualità*: e di un tal genere, poi, ...
4. Il M., come si vede, si era ormai messo, senza più « rispetto » alcuno, a
procurare armati per la difesa di Firenze.

XXVII

PIERO MACHIAVELLI A' FRANCESCO NELLI

Spectabili viro Francisco Nellio avocato florentino.

In Pisa.

Carissimo Francesco. Non posso far di meno di piangere in do-
vervi dire come è morto il dì 22 di questo mese Niccolò nostro padre
di dolori di ventre, cagionati da uno medicamento preso il dì 20.
Lasciossi confessare le sue peccata da frate Matteo, che gl'a tenuto
compagnia fino a morte. Il padre nostro ci à lasciato in somma po-
vertà, come sapete.

Quando farete ritorno qua su, vi dirò molto a bocca. Ò fretta,
e non vi dirò altro, salvo che a voi mi raccomando.

(22 di Giugno 1527)

Vostro parente Piero Machiavelli.[1]

1. Ristabilita la Repubblica, il M., che si trovava al campo di Romagna
presso il Guicciardini, era corso a Firenze. Ma qui lo aspettava un nuovo
cocentissimo dolore: rifatta la commissione dei Dieci, invece di ridare al
M. il suo antico posto di segretario di essa, i repubblicani, diffidenti
per il suo ravvicinamento ai Medici, lo avevano lasciato fuori da ogni
ingerenza nel governo, assegnandogli solo il piccolo incarico di sorvegliare
il riattamento di un tratto delle mura. La sua salute, minata dagli affanni
e dagli strapazzi dei due anni precedenti, non aveva più retto.

NOTA CRITICA

LA MANDRAGOLA
E IL TEATRO DEL CINQUECENTO

La Mandragola, composta da Machiavelli nel periodo del forzato esilio da Firenze e dall'attività politica, resta il capolavoro di una produzione drammatica che comprende anche un « ragionamento a foggia di commedia, e in atto recitabile », *Le maschere*, in cui l'autore, secondo il nipote Giuliano de' Ricci (che ce ne dà notizia) « andava lacerando e maltrattando » sotto falsi nomi « molti di quelli cittadini che nel 1504 vivevano »; la traduzione dell'*Andria* di Terenzio; una riduzione dell'*Aulularia* di Plauto (di cui ci informa il Lasca) e la più tarda *Clizia*. Che Machiavelli nutrisse, oltre a quelli politici e storici cui soprattutto deve la sua fortuna, anche specifici interessi letterari, è attestato anche dalla sua partecipazione – vivace e polemica come è nel carattere del personaggio – al dibattito sulla lingua volgare, con quella proposta dell'uso di un fiorentino moderno, colto, sì, ma non alieno dal ricorso a modi gergali e all'uso popolare, che si realizza concretamente proprio ne *La Mandragola*, segnando una tappa importante nel cammino della commedia del Rinascimento italiano.

La scoperta, nel 1429, di dodici nuove commedie plautine dà vigore ed energia al teatro laico e umanistico che pian piano andava organizzandosi nelle maggiori corti, da Roma a Firenze, a Milano (dove Leonardo realizzerà numerose innovazioni: la caduta del sipario, il palcoscenico girevole, la comparsa improvvisa dello scenario, l'introduzione della musica e della danza), a Ferrara e a Mantova. Abbandonati i testi religiosi delle Sacre Rappresentazioni e i sagrati delle chiese, si recita, all'interno dei palazzi signorili, Plauto o Terenzio, in latino o in una traduzione in versi, dando vita a un teatro a circolo chiuso, prodotto, recitato e fruito da quella corte intorno alla quale ruota tutta la cultura umanistico-rinascimentale. Nel 1488, per una rappresentazione a Firenze dei *Menaechmi* di Plauto, il Poliziano scrive un prologo in cui si scaglia contro lo stravolgimento cui i testi drammatici erano condannati dall'opera dei cattivi traduttori che vi ponevano le mani: affiora la necessità di un teatro che non si limiti a tradurre, ma che "rifaccia" la commedia antica, riproponendola in un'imitazione che non sia pura ripetitività, ma "ri-creazione", problema centrale, questo, della cultura cinquecentesca italiana. Nasce così l'*Orfeo*, favola drammatica composta per il cardinal

Francesco Gonzaga, in cui il Poliziano sfrutta, reinterpretandoli, gli antichi miti e che apre la strada al nuovo teatro, in cui si cimentano via via quasi tutti gli autori, anche per il vivace interesse che i vari signori dimostrano per questa forma artistica, spettacolo con cui brillare, attirare sulla propria corte gli sguardi e l'attenzione, farla splendere e aumentarne il prestigio: non a caso l'autore delle scenografie di molte commedie rappresentate a Mantova è il Mantegna e Raffaello dipinge quelle dei *Suppositi*, recitati nel 1519 alla corte papale. Clamoroso successo riscuotono la *Calandria* del Bibbiena (prima rappresentazione a Urbino nel 1513), *La Mandragola*, le cinque commedie ariostesche (la *Cassaria*, i *Suppositi*, il *Negromante*, gli *Studenti* e la *Lena*), ma anche l'anonima *Venexiana*, le opere del Ruzante (il *Pastoral*, la *Betìa* e soprattutto i *Due dialoghi in lingua rustica*) e dell'Aretino (*La cortigiana*, *Il marescalco*, l'*Ipocrito*, la *Talanta*, *Il filosofo*), *Il pedante* di Francesco Belo, *Gli straccioni* di Annibal Caro, la *Commedia di amicizia* e *Due felici rivali* di Jacopo Nardi.

La commedia presenta in Italia nel Cinquecento delle costanti facilmente individuabili, quali la *contaminatio* delle fonti classiche (soprattutto Plauto) con le novelle del *Decameron*, in particolare quelle della beffa; l'uso sistematico del prologo, usato non tanto come presentazione e riassunto dei contenuti, alla maniera plautina, quanto piuttosto come sede di discussione letteraria e poetica, alla maniera di Terenzio; la presenza di "tipi fissi", che ritornano nei differenti testi, importanti non per la loro individualità, ma per la loro funzionalità rispetto allo sviluppo dell'intreccio (il vecchio gabbato, il servo astuto, l'innamorato, la ruffiana): proseguendo su questa strada, si approderà alla Commedia dell'Arte.

La Mandragola, almeno a grandi linee, non sfugge a questa codificazione, ma lo spirito critico e la lucidità del suo autore la collocano comunque in un posto a parte, unica opera davvero grande in una produzione molto abbondante. Croce scrisse a ragione che *La Mandragola* rientra a pieno titolo nell'universo etico-speculativo del Machiavelli: in effetti uguali sono lo sguardo che osserva il Principe muoversi nel suo mondo, e difendersene, e quello che osserva i maneggi di Callimaco e di Ligurio; uguale la società su cui questo sguardo si appunta, e uguale lo scetticismo con cui la giudica. Ma qui, ancora più che nel *Principe*, « non è se non vulgo »: il fine cui muovono i subdoli mezzi escogitati da Ligurio non ha niente di nobile e di alto, non si allontana da quel « particulare » di cui Guicciardini – e non certo Machiavelli – farà la sua bandiera. I tipi fissi compaiono anche qui, ma arricchiti di una personalità propria e di una psicologia individuale, come il vecchio babbeo (Nicia) che si fa gabbare, ma perché in preda ormai all'ossessione di diventare padre che – come ogni passione esasperata – ottenebra il suo buon senso e la sua logica («È egli di dì o di notte? Sono io desto o sogno? Sono io oblìaco, e non ho beuto ancora oggi, per ire dietro a queste chiacchiere?»); come il servo astuto, Ligurio che qui rappresenta l'intelligenza scissa dalla passione (Callimaco) e in grado quindi di osservarla e di giudicarla con distacco; come fra' Timoteo, prete avido, non privo tuttavia di un rimasuglio di coscienza, che lo turba ma non tanto da impedirgli di abbassarsi a comportamenti incompatibili con la sua scelta di vita («Dio sa che io non pensavo ad iniuriare persona, stavomi nella mia cella, dicevo el mio ufizio, intrattenevo e mia devoti: capitommi innanzi questo diavol di Ligurio, che mi fece intignere el dito in uno errore, donde io vi ho messo el braccio, e tutta la persona, e non so ancora dove io mi abbia a capitare. Pure mi conforto che, quando una cosa importa a molti, molti ne hanno aver cura»).

Sola, l'oggetto intorno a cui si ordiscono tanti imbrogli, Lucrezia, sembra acquistare nel corso della commedia un po' dello sguardo e dello scetticismo del suo autore: restia, per onestà e per rettezza morale, a piegarsi all'adulterio impostole dal marito e dalla madre, una volta che vi è stata costretta, prende in mano le redini della vicenda e decide di guidarla a modo suo, relegando per sempre il marito in quella parte che si era scelto per una notte; Lucrezia pare appartenere alla razza di coloro che «solamente per fortuna diventano di privati principi» ma che hanno poi «tanta virtù che quello che la fortuna ha messo loro in grembo è sappino subito prepararsi a conservarlo» (Il Principe, cap. VII).

La data di composizione de La Mandragola resta incerta, fra la caduta della Repubblica di Pier Soderini, e l'allontanamento quindi del Machiavelli da Firenze (1512), e il 1520, data in cui una lettera di Battista della Palla proveniente da Roma avverte che la commedia è già stata imparata a memoria dagli attori per essere recitata davanti a Leone X: più probabilmente, secondo le tesi del Ridolfi e del Chiappelli, l'arco di tempo va limitato fra il 1515 e l'inizio del 1519. Controversa rimane anche la data della prima rappresentazione: il Ridolfi la colloca nel Carnevale del 1518 a Firenze in occasione dell'annuncio delle nozze fra Lorenzo di Piero de' Medici con Maddalena de La Tour d'Auvergne. È certo comunque che a Venezia, nel 1522, ben due rappresentazioni (la prima il 13 e la seconda il 16 febbraio) furono interrotte per l'eccesso di pubblico. Nel Carnevale del '26, sempre a Venezia, *La Mandragola* fu recitata in concorrenza con i *Menaechmi*, e ottenne un tale successo che a suo paragone questa commedia « fu tenuta una cosa morta »[1].

L'*editio princeps* uscì senza luogo né data (ma nel settembre del 1518 secondo il Ridolfi), probabilmente non a cura dell'autore, come suggerirebbe l'intitolazione (*Comedia di Callimaco: e di Lucretia*), che non si accorda con quanto affermato nel prologo: « La favola Mandragola si chiama... ». Su questa stampa fu esemplata la seconda edizione, apparsa a Venezia nel 1522 presso Alessandro Bindoni e solo nella terza (Roma, presso Francesco Calvo, 1524) compare il titolo *Comedia facetissima chiamata Mandragola et recitata a Firenze*. Nel 1554 Girolamo Ruscelli concepì la pessima idea di ripubblicarla "pulita" da tutti i dialettalismi, motti, espressioni gergali, sostituiti da un italiano accademico. Nel 1910 Santorre Debenedetti riprese il testo della *princeps* per un'edizione che resta ancora fondamentale per l'introduzione e il glossario che l'arricchiscono.

[1] Da una lettera di Giovanni Manetti al Machiavelli, datata 26 febbraio 1526 e citata da R. Ridolfi nella sua *Vita di N.M.*, Firenze, 1978, nota 14 al cap. XXI.

INDICE

OSCAR CLASSICI

Gogol', Racconti di Pietroburgo,

Foscolo, Ultime lettere di Jacopo Ortis

Chaucer, I racconti di Canterbury

Shakespeare, Coriolano

Hoffmann, L'uomo di sabbia e altri racconti

Wilde, Il fantasma di Canterville

Molière, Il tartufo - Il malato immaginario

Alfieri, Vita

Dostoevskij, L'adolescente

Dostoevskij, I demoni

Leopardi, Canti

Dostoevskij, Memorie dal sottosuolo

Manzoni, Tragedie

Foscolo, Sepolcri - Odi - Sonetti

Hugo, I miserabili

Balzac, La Commedia umana

Dostoevskij, Umiliati e offesi

Tolstòj, I Cosacchi

Conrad, Tifone - Gioventù

Voltaire, Candido

Leopardi, Operette morali

Alfieri, Tragedie

Polibio, Storie

Shakespeare, Amleto

Verga, Il marito di Elena

Capuana, Giacinta

Turgenev, Padri e figli

Tarchetti, Fosca

Erodoto, Storie

AA.VV., I romanzi della Tavola Rotonda

Dumas A. (figlio), La signora delle camelie

AA.VV., Racconti neri della Scapigliatura

Goethe, I dolori del giovane Werther

Boccaccio, Decameron

Shakespeare, Riccardo III

Stendhal, La Certosa di Parma

Laclos, Le amicizie pericolose

Tucidide, La guerra del Peloponneso

Verga, Tutto il teatro

Tolstòj, Anna Karenina

Shakespeare, Re Lear

James H., Giro di vite

Dostoevskij, L'eterno marito

Manzoni, I promessi sposi

Flaubert, Tre racconti

Shakespeare, Misura per misura

Boccaccio, Caccia di Diana - Filostrato

Wilde, L'importanza di essere onesto

Alighieri, De vulgari eloquentia

Stendhal, Il Rosso e il Nero

Shakespeare, Enrico V

Polo, Il Milione

Swift, I viaggi di Gulliver

Stendhal, L'amore

Dickens, Racconti di Natale

Medici, Canzoniere

Racine, Fedra

AA.VV., Poeti del Dolce Stil Novo

Stendhal, Cronache italiane

Shakespeare, La tempesta

De Sanctis, Storia della letteratura italiana

Campanella, La città del Sole e altri scritti

Kipling, Capitani coraggiosi

Machiavelli, La Mandragola - Belfagor - Lettere

Capuana, Il marchese di Roccaverdina

Dickens, Grandi speranze

Shakespeare, Giulio Cesare

Beaumarchais, La trilogia di Figaro

Verga, Storia di una capinera

Tolstòj, Resurrezione

Guinizelli, Poesie

Castiglione, Il cortegiano

Shakespeare, La dodicesima notte

Ibsen, Casa di bambola

Beccaria, Dei delitti e delle pene

Sterne, Viaggio sentimentale

De Roberto, I Viceré

Shakespeare, Enrico IV

Vico, Princìpi di scienza nuova

Erasmo da Rotterdam, Elogio della follia

Shakespeare, Otello

Čechov, Teatro

Boccaccio, Teseida

Petrarca, De vita solitaria

Melville, Bartleby lo scrivano

Shakespeare, Come vi piace

Lutero, Lieder e prose

Grimmelshausen, L'avventuroso Simplicissimus

Marlowe, Il Dottor Faust

Balzac, La donna di trent'anni

Baudelaire, Lo spleen di Parigi

James H., Washington Square

Shakespeare, Il racconto d'inverno

Hardy, Tess dei d'Uberville

Wordsworth, Il preludio

Boccaccio, Esposizioni sopra la Comedia di Dante

Dostoevskij, Le notti bianche

Flaubert, L'educazione sentimentale

Schiller, I masnadieri

Shakespeare, Pene d'amor perdute

Goethe, La vocazione teatrale di Wilhelm Meister

Leopardi, Lettere

Pascoli, Il ritorno a San Mauro

Maupassant, Forte come la morte

AA.VV., Poesia latina medievale

Goldoni, I rusteghi - Sior Todero brontolon

Goldoni, Trilogia della villeggiatura

Goldoni, Le baruffe chiozzotte - Il ventaglio

Goldoni, Il servitore di due padroni - La vedova scaltra

Stevenson, Il signore di Ballantrae

Flaubert, Bouvard e Pécuchet

Eliot, Il mulino sulla Floss

Tolstòj, I racconti di Sebastopoli

De Marchi, Demetrio Pianelli

Della Casa, Galateo ovvero de' costumi

Dostoevskij, I fratelli Karamazov

Shakespeare, Sonetti

Dostoevskij, Povera gente

Shakespeare, Riccardo II

Diderot, I gioielli indiscreti

De Sade, Justine

Tolstoj, Chadži-Muràt

De Roberto, L'Imperio

Shakespeare, Tito Andronico

Stevenson, Nei mari del Sud

Maupassant, Pierre e Jean

Bruno, Il Candelaio

Kipling, Kim

Donne, Liriche sacre e profane - Anatomia del mondo - Duello della morte

AA.VV., Il Corano

Rimbaud, Una stagione in inferno - Illuminazioni

Shakespeare, I due gentiluomini di Verona

Puškin, La figlia del capitano

Blake, Visioni

Nievo, Novelliere campagnuolo

James H., Il carteggio Aspern

Diderot, Jacques il fatalista

Schiller, Maria Stuart

Stifter, Pietre colorate

Poe, Il corvo e altre poesie

Coleridge, La ballata del vecchio marinaio

Sant'Agostino, Confessioni

Verlaine, Romanze senza parole

AA.VV., Racconti gotici

Whitman, Foglie d'erba

Teresa d'Ávila, Libro della mia vita

Boito, Senso e altri racconti

Pulci, Morgante

AA.VV., Innario cistercense

Las Casas, Brevissima relazione della distruzione delle Indie

Lèrmontov, Un eroe del nostro tempo

AA.VV., I Salmi

Paolo Diacono, Storia dei Longobardi

Shakespeare, Antonio e Cleopatra

Shelley M., Frankenstein

Zola, Nanà

Foscolo, Le Grazie

Hugo, Novantatré

Goethe, Racconti

Eliot, Middlemarch

Kipling, Ballate delle baracche

Čechov, La steppa e altri racconti

James H., L'Americano

Lewis M.G., Il Monaco

Bruno, La cena de le ceneri

Shelley P.B., Poesie

Ambrogio, Inni

Origene, La preghiera

Melville, Poesie di guerra e di mare

Ibsen, Spettri

Manzoni, I promessi sposi

Rostand, Cirano di Bergerac

Cervantes, Novelle esemplari

Shakespeare, Molto rumore per nulla

Čechov, Il duello

Stevenson, Gli intrattenimenti delle notti sull'isola

Čechov, La corsia n. 6 e altri racconti

Puškin, Viaggio d'inverno e altre poesie

Novalis, Inni alla notte - Canti spirituali

Monti, Iliade di Omero

Flaubert, La prima educazione sentimentale

France, Taide

Croce - Banchieri, Bertoldo e Bertoldino - Cacasenno

Kierkegaard, Don Giovanni

Turgenev, Rudin

Novalis, Enrico di Ofterdingen

Shakespeare, Vita e morte di Re Giovanni

Baffo, Poesie

Flaubert, Attraverso i campi e lungo i greti

Giuseppe Flavio, Guerra giudaica

Wilde, Ballata del carcere

Defoe, Roxana

Meister Eckhart, Prediche

Hardy, Intrusi nella notte

Čechov, Il monaco nero

Quevedo Y Villegas, Il furfante

De Sade, Lettere da Vincennes e dalla Bastiglia

Shakespeare, Troilo e Cressida

Hugo, I lavoratori del mare

Grillparzer, Il povero musicante - Il convento presso Sendomir

Austen, Northanger Abbey

Brontë C., Jane Eyre

Pascoli, Poemi Conviviali

Goldsmith, Il vicario di Wakefield

AA.VV., Le mille e una notte

Clausewitz, Della guerra

AA.VV., Antologia di scrittori garibaldini

Čechov, L'omicidio e altri racconti

Trilussa, Poesie scelte

Burkhardt, Considerazioni sulla storia universale

De Sade, La filosofia nel boudoir

La Motte-Fouqué, Ondina

Čechov, La mia vita e altri racconti

Grimm, Fiabe

Čechov, La signora con il cagnolino

Stoker, Dracula

Arnim, Isabella d'Egitto

Voltaire, Lettere filosofiche

Bernardin de Saint-Pierre, Paul e Virginie

Tolstòj, La tormenta e altri racconti

Hölderlin, Scritti di estetica

Balzac, La cugina Bette

Turgenev, Nido di nobili

Keats, Poesie

Alighieri, Il Fiore - Detto d'Amore

Zarathushtra, Inni di Zarathushtra

Musset, La confessione di un figlio del secolo

Kierkegaard, La malattia mortale

AA.VV., Antologia dei poeti parnassiani

Hoffmann, La principessa Brambilla

AA.VV., Fiabe romantiche tedesche

Andersen, Fiabe

Hawthorne, La lettera scarlatta

Verlaine, Les hommes d'aujourd'hui

Tolstòj, Lucerna e altri racconti

Abba, Da Quarto al Volturno

Balzac, Béatrix

AA.VV., La saga degli uomini delle Orcadi

Pascoli, Poesie vol. I

AA.VV., Manas

Gaskell, Mary Barton

Boccaccio, Ninfale fiesolano

Gogol', Le anime morte

Vélez de Guevara, Il diavolo zoppo

Rodenbach, Bruges la morta

Dostoevskij, Saggi

Brentano, Fiabe

AA.VV., Haiku

AA.VV., La saga di Egill

Schopenhauer, Aforismi sulla saggezza del vivere

Góngora, Sonetti

AA.VV., La saga di Njàll

Conrad, Lord Jim

Pascoli, Poesie vol. II

Shelley M., L'ultimo uomo

Brontë E., Poesie

Kleist, Michael Kohlhaas

Tolstòj, Polikuška

De Maistre, Viaggio intorno alla mia camera

Stevenson, Poesie

Pascoli, Poesie vol. III

AA.VV., Lirici della Scapigliatura

Manzoni, Osservazioni sulla morale cattolica

Tolstòj, I quattro libri russi di lettura

Balzac, I segreti della principessa di Cadignan

Balzac, La falsa amante

Conrad, Vittoria

Radcliffe, I misteri di Udolpho

Laforgue, Poesie e prose

Spaziani (a cura di), Pierre de Ronsard fra gli astri della Pléiade

Rétif de la Bretonne, Le notti rivoluzionarie

Tolstòj, Racconti popolari

Pindemonte, Odissea di Omero

Conrad, La linea d'ombra

Leopardi, Canzoni

Hugo, L'uomo che ride

AA.VV., Upaniṣad

Pascoli, Poesie vol. IV

Melville, Benito Cereno - Daniel Orme - Billy Budd

Michelangelo, Rime

Conrad, Il negro del "Narciso"

Shakespeare, Sogno di una notte di mezza estate

Chuang-Tzu, Il vero libro di Nan-hua

Conrad, Con gli occhi dell'Occidente

Boccaccio, Filocolo

Jean Paul, Sogni e visioni

Hugo, L'ultimo giorno di un condannato a morte

Tolstòj, La morte di Ivan Il'ič

Leskov, L'angelo sigillato - L'ebreo in Russia

Potocki, Nelle steppe di Astrakan e del Caucaso

AA.VV., Lazarillo de Tormes

Shakespeare, Le allegre comari di Windsor

Defoe, Memorie di un Cavaliere

Boccaccio, Rime

AA.VV., Il Libro della Scala di Maometto

Beethoven, Autobiografia di un genio

Wordsworth - Coleridge, Ballate liriche

Farīd Ad-dīn 'Aṭṭār, Il verbo degli uccelli

Alighieri, Vita Nova

Ignacio de Loyola, Esercizi spirituali

Tolstòj, La sonata a Kreutzer

Conrad, Cuore di tenebra

Brontë A., Agnes Grey

AA.VV., Bhagavad Gītā

Baudelaire, Diari intimi

Shakespeare, Tutto è bene quel che finisce bene

Cartesio, Discorso sul metodo

Barrie, Peter Pan

Hardy, Il ritorno del nativo

Stendhal, Armance

Flaubert, Madame Bovary

Twain, Le avventure di Tom Sawyer

Balzac, Addio

Wilde, Aforismi

Dostoevskij, La mite

Dostoevskij, Il giocatore

Hugo, Notre-Dame de Paris

Stevenson, La Freccia Nera

Shakespeare, Il mercante di Venezia

Ruskin, Le pietre di Venezia

Vamba, Il giornalino di Gian Burrasca

Piranesi, Vedute di Roma

Wilde, Il Principe Felice

Wilde, Autobiografia di un dandy

Carroll, Le avventure di Alice nel Paese delle Meraviglie - Attraverso lo specchio

Boccaccio, Amorosa Visione

Stevenson, Weir di Hermiston

Balzac, Papà Goriot

London, Zanna Bianca

Conrad, Nostromo

Labé, Il canzoniere

MacDonald, La favola del giorno e della notte

Piacentini (a cura di), L'Antico Egitto di Napoleone

Verdi, Libretti - Lettere 1835-1900

Defoe, Diario dell'anno della peste

Goethe, Lieder

Shakespeare, La bisbetica domata

Stevenson, L'Isola del Tesoro

Collodi, Le avventure di Pinocchio

Baudelaire, La Fanfarlo

Shelley P.B., Poemetti veneziani

Hawthorne, La Casa dei Sette Abbaini

De Amicis, Amore e ginnastica

Ruskin, Mattinate fiorentine

Dumas A. (padre), Vent'anni dopo

Dumas A. (padre), I tre moschettieri

James, Daisy Miller

Canaletto, Vedute veneziane

Balzac, Ferragus

Flaubert, Novembre

Keats, Il sogno di Adamo

AA.VV., Canzoni di Crociata

Casanova, La mia fuga dai Piombi

Sienkiewicz, Quo vadis?

Poe, Il pozzo e il pendolo e altri racconti

Cattaneo, Dell'insurrezione di Milano nel 1848

Shakespeare, Romeo e Giulietta